K-Pop
K-Style

메이크
브레이크
믹스

K-Pop – K-Style
Music, Art & Fashion aus Südkorea

Fiona Bae

Fotografien von less_TAEKYUN KIM

Inhalt

Vorwort

Na Kim

Na Kim ist eine Grafikdesignerin mit Wohnsitz in Berlin und Seoul. Ihre Arbeiten wurden in bedeutenden Kunstmuseen und Galerien ausgestellt, darunter im MMCA in Seoul, dem Victoria & Albert Museum in London und dem MoMA in New York. Sie ist eine Grenzgängerin zwischen Design und Kunst und erschloss jungen koreanischen Kreativen neue Ziele. Kim war Kuratorin der Fikra Graphic Design Biennial, des Chaumont Graphic Design Festival und der Seoul International Typography Biennale. Sie gestaltete die Räume für die 2022 gezeigte Sonderausstellung „Hallyu! The Korean Wave“ im Victoria & Albert Museum.

Als ich 2006 zum Studieren in die Niederlande kam, meinten viele Leute, meine Entwürfe sähen gar nicht asiatisch aus. Das brachte mich dazu, darüber nachzudenken, was asiatischen Stil definiert. Damals schien man ihn mit Pinselstrichen und bestimmten Farbkombinationen zu assoziieren. Seither habe ich in den Niederlanden und in Berlin gearbeitet und musste immer wieder einmal dem Rest der Welt die Kulturszene von Seoul oder von Korea erklären. Der rasante Aufstieg des K-Styles machte mich neugierig darauf herauszufinden, wie dieses globale Phänomen entstehen und sich entwickeln konnte, und ich begann, seinen sozialen Kontext zu erforschen. Meine Arbeit als kreative Leiterin der Gestaltung einer Ausstellung über koreanische Popkultur in London ermöglichte mir 2022, die verschiedenen Aspekte von „K-ness" näher zu erkunden und zu erforschen, wie koreanische Kultur weltweit so einflussreich werden konnte. Ich untersuchte den Begriff und die verschiedenen darunter zusammengefassten Themen, um aufzuzeigen, was in der koreanischen Kultur gerade passiert. Als ich darum gebeten wurde, das Vorwort für *K-Pop – K-Style* zu schreiben, machte mich der Begriff neugierig, den Fiona Bae im Titel ihres Buchs verwendet, und ich fragte sie, was sie unter „K-Style" verstand. Sie antwortete, dass er Mode oder Stil transzendiere: K-Style ist das Selbstverständnis mutiger junger Koreaner, die etwas Eigenes schaffen wollen.

Ich erlebte diese Haltung, als ich vor meiner Rückkehr nach Europa 2019 in Korea arbeitete. Die jüngere Designergeneration machte einfach ihr Ding, ohne vorher Zeit damit zu verlieren, an berühmten Schulen im Ausland zu studieren, wie wir es getan hatten. Als ich ein Albumcover für den beliebten Indie-Musiker Hyokoh entwarf, faszinierte mich sein Eingeständnis, dass er niemals so eine Größe wie Shin Jung-hyeon, der legendäre koreanische „Pate" des Rock, werden könne. Hyukoh meinte, da er niemals ein großer Berg sein würde, wolle er zumindest zu dessen Ehren ein kleines Feuer entfachen. Die jungen Koreaner vereinnahmen alles, was sie cool finden, und erschaffen daraus alles Mögliche.

Früher hing in Korea Erfolg davon ab, aus welcher Region man stammte und welche Schulen man besucht hatte. Mittlerweile aber bauten junge Leute mit ähnlichen Visionen und Haltungen in Bereichen wie Musik, Mode oder Literatur stärkere Verbindungen und ein Verständnis von Solidarität auf. Ungeachtet ihres sozialen Hintergrunds bilden Menschen, die ihre Leidenschaften leben, tragfähige Gemeinschaften und stehen zu einem Dilettantismus, der ihnen stärkere Flexibilität ermöglicht. Flexibilität und Anpassungsfähigkeit besitzen in der koreanischen Kultur seit jeher einen hohen Stellenwert. Kommunikations-Tools und soziale Netzwerke ermöglichen diesen Gruppen das, was sie kreieren, bekannt zu machen.

Viele Menschen möchten mehr über den sozialen Kontext der Koreanischen Welle und des K-Styles erfahren, und dieses Buch ermöglicht ihnen das, dank der informativen Einführung der Autorin und der zwanglosen Interviews mit Künstlern und Kreativdirektoren aus verschiedenen Bereichen, die dem K-Style den Weg ebneten. Ich habe mich gefreut, unter den Interviewten und Mitwirkenden an diesem Buch so viele Freunde und bemerkenswerte Menschen zu finden. Der Autorin ist es gelungen, den Geist des K-Styles einzufangen und ihn durch Interviews und Foto-Essays „abheben“ zu lassen. Less_TAEKYUN KIM, Urheber der Fotografien in diesem Buch, bietet dem Leser und Betrachter eine erfrischend neue Perspektive auf die koreanische Jugend und die Straßen von Seoul.

Wie Fiona Bae in ihrer Einführung schreibt, führten gerade die in der koreanischen Gesellschaft herrschenden repressiven und ehrgeizigen Tendenzen zur regelrechten Explosion von dem, was wir „K“ nennen. Korea steckt voller Ironien und Widersprüche. Meine Eltern erinnerten mich ständig an die Redensart, dass auch ein eckiger Stein früher oder später unter den Meißel des Steinmetzes kommt. Die Menschen haben Angst davor aufzufallen, aber allzu ähnlich dürfe man einander auch nicht sein: Jeder sollte danach streben, etwas besser zu sein als die anderen.

Je mehr ich mich damit beschäftigte, desto mehr dachte ich darüber nach, wie Hallyu (der umgangssprachliche Begriff für „Koreanische Welle“) nationale Grenzen überwindet. K-Pop wurde auch außerhalb von Korea zu einer Jugendbewegung, zu der weltweit Neues beigetragen wird. Ebenso wie ein lebendiges Wesen ist K-Style hybrid und entwickelt sich laufend weiter. Zwar beherrschen derzeit K-Pop und K-Drama die Szene, doch glaube ich fest daran, dass der K-Style im Lauf der Zeit weiterhin in verschiedensten Bereichen Neues offenbaren wird, auch in der Design-Szene.

Projekte wie das vorliegende Buch werden das internationale Publikum dazu anregen, die weiteren Entwicklungen des K-Styles aufmerksam zu beobachten. K-Style verändert sich bereits in dem Moment, in dem ich diese Zeilen schreibe, denn er ist immer im Fluss.

Einführung

Als Koreanerin konnte ich nur darüber staunen, wie rasch unsere Kultur an Beliebtheit gewann, besonders im Bereich Musik, Mode, Essen und Design. Und natürlich machte mich das auch ziemlich stolz. Überhaupt sind wir Koreaner alle sehr stolz auf unser Land – und verstecken hinter diesem Stolz die Unsicherheit, die daher rührt, dass es ein sehr kleines, zwischen Japan und China eingeklemmtes Land ist, das unter starkem Einfluss der USA steht und mit der ständigen Bedrohung durch Nordkorea leben muss. Bei mir führte dieser Stolz allerdings dazu, dass ich nationalistischer Propaganda stets sehr misstrauisch gegenüberstand: Wenn die koreanische Presse berichtete, dass ausländische Medien etwas Koreanisches bejubelten, schaute ich mir die Originaltexte an und stellte stets fest, dass unsere Zeitungen stark übertrieben hatten. Inzwischen aber ist das anders geworden. Seitdem ich die fruchtbare, authentische Kreativität junger Koreaner erlebe, verspüre ich nicht mehr das Bedürfnis, etwas nachzuprüfen, das ich ohnehin mit eigenen Augen sehe. Nachdem ich mit großen Talenten zusammengearbeitet habe und bei meiner langjährigen Tätigkeit auf dem Gebiet der internationalen Kommunikation sehr erfolgreiche koreanische Designer, Architekten und Künstler fördern konnte, war es mir ein Anliegen, ein Buch zu schreiben, um die Triebkräfte und die Zukunft des K-Styles zu veranschaulichen. Zielsetzung dieses Buchs ist es nicht, den K-Style zu definieren. Stattdessen will es eine Momentaufnahme von Korea präsentieren, ein Land, das zu einem der einflussreichsten Stilzentren des Planeten wurde und diese Position laufend weiter entwickelt.

Die Zutaten des K-Styles gibt es schon sehr lange: Der Arbeitsfleiß, der starke, auf dem Konfuzianismus basierende Wissensdurst, die Freude an gemeinsamem Gesang und Tanz, eine Mischung aus Anpassungsfähigkeit und praktischem Denken, die ihre Wurzeln im Schamanismus haben, sowie der nie erlahmende Ehrgeiz und der Hunger nach internationaler Anerkennung, resultierend aus einer sich rapide entwickelnden Gesellschaft. Dazu kommt noch eine Technologie, die die Neigungen und Fantasien der Koreaner beflügelt, und außerdem eine zunehmende Skepsis gegenüber westlichen Werten – dies alles ergab eine explosive Mischung, die eines Tages tatsächlich explodierte ... und BUMM! war der K-Style geboren.

Im Lauf der letzten Jahrzehnte machte ganz Korea eine bemerkenswerte Verwandlung durch. Nach der japanischen Besetzung und dem Koreakrieg zählte Südkorea in den 1960er-Jahren zu den ärmsten Ländern der Welt. Demokratisch wurde es nach langen Phasen der Diktatur und Militärherrschaft erst ab 1988, als Seoul Austragungsort der Olympischen Spiele war. Bis dahin waren uns private Reisen ins Ausland nicht erlaubt gewesen, weil die Regierung befürchtete, die Nordkoreaner könnten uns „umpolen“. Um die Exportzahlen zu steigern, wurde es gesellschaftsfähig, Produkte aus

Japan oder westlichen Ländern, von Lampen und Radios bis hin zu Fernsehgeräten, zu kopieren. Das überschaubare Korea war auf größere Länder angewiesen, das verstärkte sowohl seine Unsicherheit als auch den Wunsch nach internationaler Anerkennung, und Koreas rasche wirtschaftliche Entwicklung machte seine Bürger zu extrem ehrgeizigen, materialistischen und statusbewussten Menschen, die Angst davor hatten aufzufallen. Die Herdenmentalität dominierte, was sich auch darin äußerte, dass die jungen Frauen alle dasselbe Make-up und die jungen Männer alle denselben Haarschnitt trugen. Bis noch vor ein paar Jahren war die Mehrzahl der Autos in Seoul schwarz, weiß oder silberfarben.

Inzwischen unterscheiden sich junge Koreaner in ihrem Äußeren vielleicht stärker voneinander, doch selbst das Styling der modebewusstesten Hipster weist starke Gemeinsamkeiten auf. Der Weg zum Erfolg ist deutlich vorgezeichnet, aber sehr schmal. Und genau derartig strenge Begrenzungen brachten den Geist der Rebellion hervor, der den K-Style prägt.

Das kleine Korea mit seinen eifrigen und fleißigen Bewohnern wurde dank des zunehmenden Wohlstands, in dem sich unterschiedliche Geschmäcker und Vorlieben entwickeln konnten, von einem Exporteur von Autos und Telefonen zu einem Exporteur von Kultur. Die koreanische Regierung, die traditionell die Chaebol genannten lokalen Megaunternehmen finanziert hatte, erkannte das Potenzial der Kulturszene für den Export und begann, diese verstärkt zu fördern. Unabhängigkeit ist sehr wichtig für ein kleines Land, und Kultur gilt als das beste Mittel zum Aufbau einer neuen internationalen Präsenz. Heute ist die Regierung so begeistert vom K-Style, dass sie gern auf ihre fördernde Rolle hinweist. Auf gewisse Weise war dies hilfreich, doch im Gegensatz zum Westen glaube ich, dass der Aufstieg des K-Styles vor allem von Kreativen vorangetrieben wurde. Die koreanische Popkultur verdankte ihre in Asien zunehmende Beliebtheit zunächst ihrer Strategie, westliche Geschichten und Klänge für ein lokales Publikum anzupassen. Später reinterpretierten wir westliche Stile in Popmusik und Film und vermischten sie mit asiatischen. K-Pop und K-Drama liefern universelle Geschichten mit einer bestimmten Haltung, die ein breites Publikum anspricht, das sich von der kulturellen Dominanz des Westens abwendet.

Schließlich ist der K-Style eine mutige Geisteshaltung, vertreten von jungen Koreanern, die verwegen alles, was sie cool finden, miteinander vermischen. Der K-Style bricht aus beengenden gesellschaftlichen Zwängen aus und feiert ein neues, stolzes Selbstvertrauen, ein Gefühl individueller Unabhängigkeit. Es spricht Menschen auf allen Kontinenten an, die gegen die alte Ordnung rebellieren und etwas Eigenes schaffen wollen. In einer Welt, in der die Grenzen zwischen Originalität und Nachahmung immer stärker verschwimmen, kann der vom K-Style geschaffene Mix zu einer „neuen Authentizität" führen. Dieses Buch beleuchtet diesen kreativen Prozess. Bei jüngeren Menschen, die als aufmerksame Konsumenten digitaler Medien Fälschungen sofort als solche erkennen, gilt genau dieser unmittelbare Ansatz als Schlüssel zum Erfolg des K-Styles.

K-Style kann vielschichtig interpretiert werden, wie man an der eklektischen Mischung der hier vorgestellten einflussreichen kreativen Köpfe sehen wird. Zwischen Interviews mit Wegbereitern aus den verschiedensten Bereichen des K-Styles werden fünf einzigartige Foto-Essays präsentiert: Porträts der Interviewten, K-Fashion, wie sie von der Jugend Seouls getragen wird, Landschaften und Stadtbilder, Streetstyle und die Arbeitsumgebungen der Interviewten. Aber wer könnte auf den K-Style stärkeren Einfluss ausüben als Seoul und seine Bewohner? Die Farben dieser riesigen, lebendigen Stadt wurden in Worten und Bildern wiedergegeben. Der durch seine empathischen Aufnahmen von Jugendlichen in Seoul und seine Arbeiten für namhafte Magazine wie *GQ* und *Vogue* bekannte Fotograf less_TAEKYUN KIM zeigt eine untypische und sehr persönliche Seite der Metropole.

Seoul ist unglaublich dicht und chaotisch, es kommt einem vor, als seien die Gebäude übereinandergestapelt worden. Eine 15-minütige U-Bahnfahrt katapultiert einen in ein anderes Stadtzentrum mit einem ganz eigenen Charakter. Doch sobald man begriffen hat, wie sehr das Chaos die Energie dieser Stadt spiegelt, lernt man, es zu lieben. Mehrere Bürgermeister waren von dem Gedanken besessen, der Stadt ganz besondere Landmarken zu schenken, doch Seung H. Sang, ihr erster Stadtarchitekt, der zwischen 2014 und 2016 den Schwerpunkt von Wachstum auf Regeneration verlagerte, ist der Ansicht, dass die wahren, charakteristischen Landmarken von Seoul die vier Berge sind, die es umgeben. Während ich diese Zeilen schreibe, verwandeln sich bislang ziemlich unspektakuläre Viertel zu neuen Hotspots. Dynamische Architektur und hyper-ästhetische Boutiquen machen sich inmitten der Blocks der alten grauen Metropole breit.

Seoul ändert sich unglaublich rasant. Manche Leute behaupten, dass das, was sich in Brooklyn in den 2000ern innerhalb von zehn Jahren ereignete, in Seoul innerhalb eines einzigen Jahres passiert. So schnell wie die Trends aufblühen, verschwinden sie auch wieder. Koreaner begeistern sich schnell, doch ebenso schnell langweilen sie sich. Unsere starke Neigung zum Konformismus bewirkte, dass eine Million Menschen denselben Look anstreben, und auch, dass Menschen mit ähnlichem Status dazu neigen, sich aneinander zu orientieren. Schnelligkeit und Wettbewerb prägen die koreanische Gesellschaft. Keiner wagt es, einen Trend nicht mitzumachen — ein anstrengender Wettlauf, der kein Ende nimmt.

14 15:59

경고문
상가분양
한남동
792-6518
일반쓰레기 종량제봉투
Gaffel

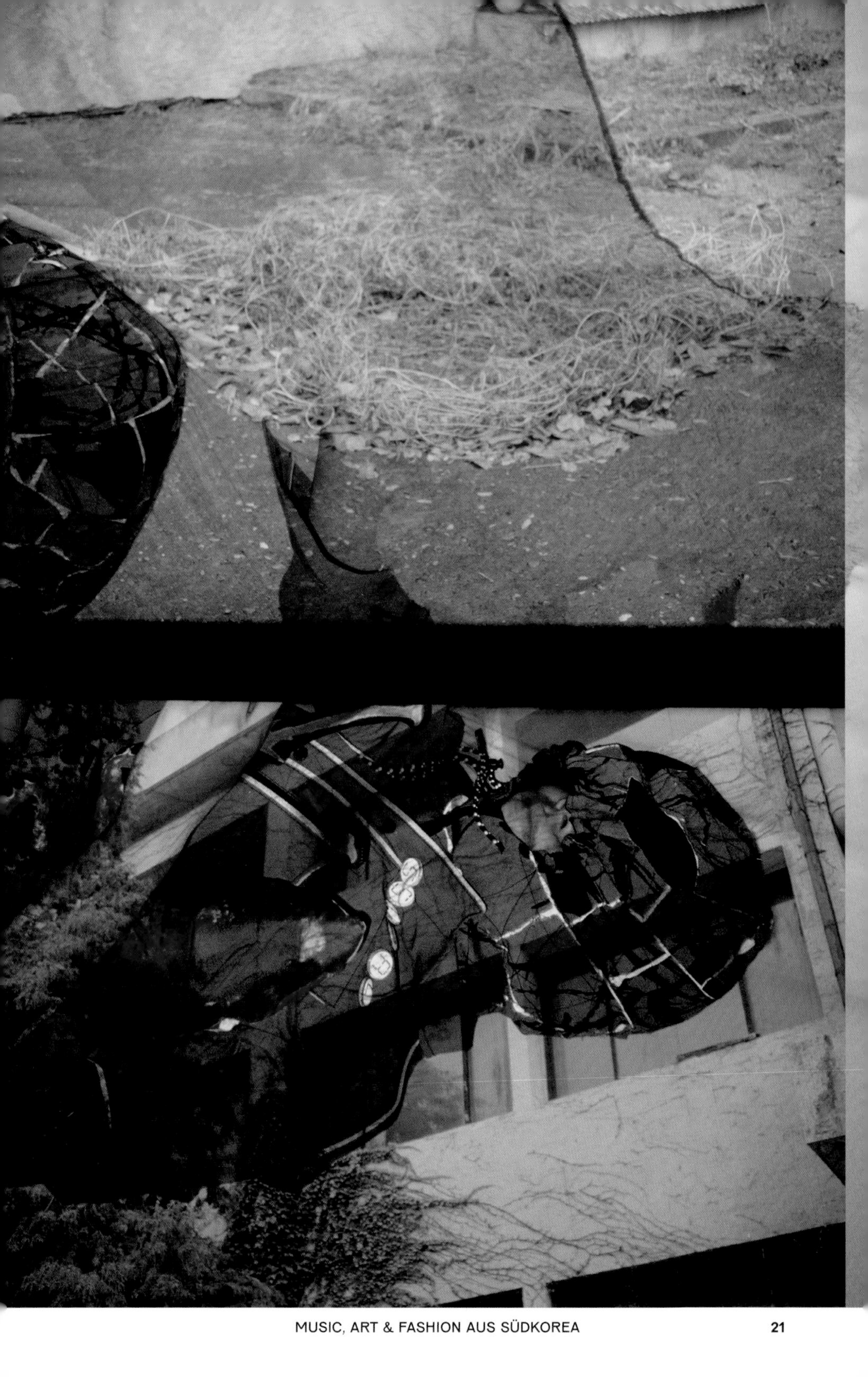

Li리a아

Choreografin, Künstlerin und Gründerin des 1MILLION Dance Studio

Stil und Einflüsse

Anfangs war ich von der älteren Tanzgeneration in LA geprägt, die meine Spezialität Popping entwickelten. Weil die Tanzkultur ihre Wurzeln in LA hat, beeinflusste sie mich auch später beim Choreografieren. Ich schaue mir gern Filme und Musikvideos an, vor allem die nicht so perfekten, aber spannenderen. Ich will einen filmischen Effekt erzielen und mit meinem Tanz eine Geschichte erzählen.

Auf alltägliche Kleidung habe ich keine Lust. Ich trage schwarze Tanzsachen, alles, worin ich mich gut bewegen kann. Mode interessiert mich nur am Rande meiner künstlerischen Arbeit. Ich entwickle mein Konzept und ziehe mich so an, dass es zu meiner großen Idee passt. Für Presseinterviews tauche ich in meine eigene Persönlichkeit ein. Es kommt mir vor, als steckte ich irgendwo zwischendrin, zwischen Künstlerin, Tanztrainerin, CEO und Fashionista. Ich wähle einen Stil, der mir entspricht und bequem ist. Ein witziger Fan postete mal: „Lia Kim ... eine seltsame, aber einzigartige Sammlung langer Ärmel.“ Vielleicht beschreibt das meinen Stil am besten.

Beim Entwickeln von Choreografien versuche ich, unabhängig von meinen eigenen Stil mich auf die Persönlichkeit und Ausstrahlung des Künstlers zu konzentrieren. Wenn ich mit Sunni arbeite, versetze ich mich in sie. Anstatt eine aufwendige Komposition mit beeindruckenden Tanzbewegungen aufzubauen, frage ich mich: „Welcher Gesichtsausdruck oder welche Geste Sunnis passt am besten zu dieser Songzeile?“ Eine einzigartige Choreografie besteht eher aus Körpersprache als aus besonderen Bewegungen. Sobald ich die Schritte des Stars ausgearbeitet habe, fülle ich die Bühne mit Backgroundtänzern, ganz so, als würde ich einen Blumenstrauß binden. Dabei fließen Anregungen des betreffenden Künstlers oder des Labels ein – aber nur, bis ich angefangen habe. Erst zum Schluss

erhalten sie eine fertige Demo-Aufnahme. Selbst die beste Choreografie sieht im unfertigen Zustand wenig beeindruckend aus.

In Seoul leben und arbeiten

Wir sind mit 1Million Studio nach Seongsu-dong umgezogen, weil es eine sehr lebhafte Atmosphäre besitzt, geprägt vom Zusammenleben von Alt und Jung und einer vielfältigen Mischung von Kulturen. Seoul ist eben so. Um Ruhe zu finden, habe ich meinen Wohnsitz in ein ländliches Städtchen in Yangpyeong verlegt. Perfekt für jemanden, der gern seine Blumen gießt und mit dem Hund spazieren geht. Korea orientiert sich immer noch stark an Trends. Ich will zeigen, dass von Künstlern, die nicht „trendig" sind, wichtige Impulse ausgehen.

Als K-Pop-Choreografin brauche ich stets die Verbindung zum Publikum. Gleichzeitig drückt meine künstlerische Seite meine eigenen Gefühle aus, und das wirkt oft, als wäre mir die Reaktion des Publikums egal. Früher fühlte ich mich verpflichtet, zwischen diesen beiden Aspekten zu wählen, doch beide gleichzeitig zu bedienen, macht viel mehr Spaß und stellt eine größere Herausforderung dar.

Die Entstehung des K-Styles

Das Tempo von Content-Produktion und Content-Konsum ist hier bei uns rasant. Nachdem Musiker hart an einem neuen Album gearbeitet haben, können sie froh sein, wenn die Titel zwei Wochen lang ausgestrahlt werden. Die Leute vergessen schnell und wollen ständig etwas Neues, das sich dann womöglich leer anfühlt. Ich frage mich immer wieder, ob es die Mühe wert ist, so viel Energie in etwas zu stecken, damit es außergewöhnlich wird. Andererseits sind wir darin geübt, in kürzester Zeit exzellente Ergebnisse zu liefern.

Es heißt immer, „1MILLION scheint den K-Style-Tanzstil zu bestimmen", tatsächlich aber hören wir uns einfach nur die Musik an und übertragen sie in unser Medium. Vielleicht können wir deshalb alles umsetzen, weil wir nie versucht haben, unseren eigenen Stil durchzusetzen. Vielleicht ist gerade das der K-Style.

Ausbildung von Pop-Künstlern und Beliebtheit von 1MILLION Studio

Die Videos unserer Tanzklassen für 1MILLION Studio sollen so realistisch wie möglich aussehen, damit die Leute das Gefühl bekommen, unmittelbar bei uns zu sein. Während andere Studios um ein perfektes Image bemüht sind, bleiben bei uns herumstehende Wasserflaschen und Kleidungsstücke beim Filmen liegen. Wir zeigen, wie die Schüler den Hals recken, um zu sehen, was vorn geschieht, und wie sie den anderen zuschauen. Meine Aufgabe als Trainerin für K-Pop-Künstler ist, vielversprechende Talente in Stars zu verwandeln. Anfänger haben Schwierigkeiten mit dem Tanzen, und deshalb machen die Labels

Tanztrainer zu Mentoren der Künstler. Es ist wichtig, ihnen Disziplin beizubringen. Wir achten auch auf Körpersprache und den Ausdruck, damit die Stars bei ihrem Bühnendebüt ihr Potenzial entfalten können.

Anfänger müssen hart arbeiten und Befehlen gehorchen, um die schwierigen Tanzbewegungen schnell zu lernen. Korea hat eine große Unterhaltungsindustrie aufgebaut, die Talente unterstützt. Die Kids werden jahrelang von Fachleuten trainiert, das fördert das Teamwork.

Veränderungen in Stil und Status von K-Pop

Anfangs wurden meine Arbeiten oft abgelehnt, da sie zu kraftvoll und künstlich seien. Mit zunehmender Erfahrung wurde mir klar, dass es nicht zu mir passte, mich auf Aufträge zu konzentrieren, bei denen Niedlichkeit und der Sex-Appeal der Künstler vorrangig sind.

Deshalb wandte ich mich Firmen zu, die an klaren Konzepten und dem Erzählen von Geschichten interessiert sind. Im K-Pop dreht sich immer noch zu viel um das Aussehen. Weniger als zehn Prozent der Künstler verfügen über Alleinstellungsmerkmale. Neuerdings darf die Choreografie ausdrucksvoller sein, und ich wirke bereits im frühen Entwicklungsstadium mit. Bei manchen Labels heißt es: „Sagen Sie

uns, was Sie sich vorstellen, und wir kreieren die entsprechende Musik.“ Beim Styling der Künstler lassen sie sich von mir beraten, und ihre Musikvideos bauen auf meiner Choreografie auf.

K-Pop ahmte früher amerikanische Musikstile nach. Durch den Einfluss und Erfolg von K-Pop zeigen mittlerweile Choreografen in LA starkes Interesse an koreanischen Labels. Ich bekomme immer mehr Kooperationsanfragen aus LA. Wenn man heute in LA mit K-Pop-Künstlern zusammenarbeitet, zählt man zu den Besten.

Und was kommt als Nächstes?

Ich liebe es, Geschichten zu erzählen, und bin neugierig auf Fremdes. Darauf, wie Tänzer und Choreografien aussehen, wenn sie anstatt auf der Bühne in Videos erscheinen. In kleinen Bildern und Einstellungen wie bei TikTok müsste das hübsch aussehen. Ich passe mich einem neuen Stil an. Das Zeitalter des Tanztrainings zu Hause über VR oder Google Glass bricht an; ich überlege, wie ich daran teilnehmen kann.

1milliondance.com
instagram @liakimhappy

Young 김영진 Kim

Stylist für K-Pop-Bands, wie die Boygroup NCT

Stil und Einflüsse

Ich liebe Musik. Ich lasse mich mehr von Filmen und TV-Serien inspirieren als von Couture-Mode. Ich betrachte gern Aquarien, um die Farben der Fische zu studieren. Ich kaufe gern Blumen. Ich bin verrückt nach Vintage und nach Möbeln mit klassischem Design.

Obwohl ich ungern nur in Schwarz style, trage ich selbst wenig Farben. Wenn, dann leuchtende, kombiniert mit schwarzen Hosen. Ich habe viel schwarze Sachen und nur schwarze Socken. Wenn ich nichts Schwarzes anhabe, fühle ich mich unwohl. Ich besitze mindestens fünfzig schwarze Hosen. Ich mag klassische Stücke.

Bei der Vorbereitung auf ein wichtiges Projekt versuche ich, möglichst viel in mich aufzunehmen. Ich trödle im Badezimmer und warte darauf, dass mir etwas einfällt. Früher notierte ich das direkt auf meine Hand, wie Ideen für die Poster einer Band. Wenn der Handrücken nicht ausreichte, schrieb ich bis zum Unterarm weiter.

Ich lasse mich gern von alten Büchern anregen. Weil die Trends rasch wechseln, ist das wirklich Neue überschaubar. Ich lese viel über historische Mode. Ich greife neueste Trends auf und mixe die Elemente neu. NCT ist eine zukunftsorientierte Band, ich muss für sie ein klares Konzept entwickeln, das Mode transzendiert. Manchmal inspirieren mich auch die japanischen Trickfilme aus meiner Jugend.

In Seoul leben und arbeiten

Seoul stresst mich und verleitet mich dazu, immer weiter zu arbeiten und nie zu schlafen. Doch ich verliebe mich jeden Morgen neu, sobald ich über die Brücke in die Stadt fahre. Koreaner sind sehr gut darin, neue Trends aufzugreifen, sie können es von allen Asiaten am besten, und wohl deshalb wurde Korea auch schon kritisiert, viel zu kopieren. Aber während in New York eigentlich nur die Männer gut angezogen sind, die in der Modeindustrie arbeiten, interessieren sich in Seoul die meisten Männer für Mode und kleiden sich stylish. Für Kleidung sind sie bereit, den Geldbeutel zu zücken.

Styling für K-Pop

Das Styling für K-Pop ist speziell: Während Stylisten in anderen Ländern es oft nur mit einem einzigen Musiker zu tun haben, müssen wir die Bühne mit sieben bis neun K-Pop-Idolen füllen.

Es ist stets eine Herausforderung, eine Balance zwischen den eigenen Vorstellungen und denen der Fans der Idole zu finden. Den Labels sind die Reaktionen der Fans wichtig, sie wollen ja möglichst viel verkaufen. Die meisten Fans möchten, dass sich ihre Stars so wie ihre Freunde kleiden. Ich würde NCT gern Stiefel anziehen, doch die Fans wollen sie in Sneakers sehen. Manchmal erfülle ich ihnen den Wunsch. Ich ziehe NCT wie Prinzen an, die zu Preisverleihungen gehen. Die ausländischen Fans freuen sich mehr über gewagtere Outfits, doch ich denke nicht bewusst darüber nach, wen ich stärker ansprechen will, ich versuche stets, ein Gleichgewicht zu erzielen.

Mit NCT arbeite ich fast drei Jahre zusammen. Zuerst bin ich mit einem wenig modeaffinen Bandmitglied shoppen gegangen und in Tattoostudios. Ich empfehle Filme und Designersessel und bin stolz, wenn meine Schützlinge einen bewussteren Stil entwickeln. Schwieriger sind Werbespot-Aufträge, für die kein richtiges Styling angefragt wird. Auch bei Spots für Kosmetika und Lebensmittel müssen die Models ja irgendetwas anhaben. Wenn ich damit Geld verdienen will, muss ich mich nach den Erwartungen der Kunden richten.

Vor einigen Jahren hätte ich keine Aufträge aus der K-Pop-Branche angenommen. Die Labels verlangten einen bestimmten vorgegebenen Stil. Ich war überrascht, als SM Entertainment mir anbot, ganz nach eigenen Vorstellungen mit NCT zu arbeiten. Ihre Wahl war auf mich gefallen, weil sie ihre Band modischer herausbringen wollten. Inzwischen haben sie sogar mein Budget für Outfits aufgestockt, weil sie begriffen haben, wie wichtig das Visuelle ist.

Musikvideos als Herausforderung

Wir arbeiten oft mit strikten Deadlines und Änderungen in letzter Minute. Ein Song wird ständig verändert, oder dem Regisseur des Videos gefallen zwei Tage vor Drehbeginn die Outfits nicht.

Ich konzentriere mich auf die Rolle des einzelnen Musikers bei jedem Song. Jede seiner Bewegungen erzeugt eine Wirkung. Ich denke über seine Physis nach. Er muss sich während des dreiminütigen Videos so vorteilhaft wie möglich zeigen. Wenn das Outfit nicht zu ihm passt oder er sich darin nicht wohlfühlt, kann das sein Selbstvertrauen beeinträchtigen. Ich versuche dann, ihm gut zuzureden.

Die Outfits müssen die Band sichtbar machen, doch die Jungs sollten darin auch tanzen können. Die meisten Hosen sind nicht elastisch genug zum Tanzen. Durch Hosen mit weitem Bein verschwimmen die exakten Tanzbewegungen. Deshalb machen wir viele Kleidungsstücke selbst. Wenn etwas nicht perfekt passt, können die Bandmitglieder die Sachen am Set auch untereinander austauschen.

In Seoul ist das Angebot riesig, sowohl an Material als auch an geschickten Zuschneidern und Näherinnen. Es gibt mehrere auf K-Pop spezialisierte Ateliers, aber nur wenige von ihnen produzieren mit neuen Techniken einzigartige Modelle. Ich muss mit perfekten Kostümen am Set erscheinen, deshalb arbeite ich nur mit einem einzigen Atelier zusammen. Mitunter nähen sie zwei bis drei Nächte durch, um Outfits für die neun Bandmitglieder anzufertigen.

Einmal habe ich für NCT erfolgreich mit dem Designer Kanghyuk Kostüme kreiert. Doch oft habe ich für ihre Herstellung nicht zwei bis drei Monate, sondern nur zwei Wochen Zeit, was es fast unmöglich macht, mit talentierten Designern zusammenzuarbeiten.

Die Entstehung des K-Styles

Die Wehrpflicht hatte einen großen Einfluss auf das Wachstum der koreanischen Schönheitsindustrie für Männer. Weil es für sie nicht viel zu tun gab, vertieften sich die Jungs in die Lektüre von *GQ* und *Esquire*. Sie lernten viel über Körperpflege, und noch bevor sie Mode kauften, erwarben sie Schönheitsprodukte.

K-Pop verleitet die Leute dazu, den Stil der Stars nachzuahmen. Er ist auf starke visuelle Elemente fokussiert, doch sollte man der Musik mehr Aufmerksamkeit widmen. Ich hoffe, dass sich der Schwerpunkt auf Musik verlagert, damit K-Pop weiterhin beliebt ist und nicht zu einem schnelllebigen Trend verkommt. Ich wünsche mir, dass K-Pop genauso Bestand hat wie die alten LPs, die ich sammle.

Meine Rolle besteht darin, dafür zu sorgen, dass die Menschen K-Pop nicht langweilig finden. Ich versuche nicht gezielt, etwas speziell Koreanisches zum Ausdruck zu bringen, sondern glaube, dass sich das ganz von selbst ergibt.

youngjinkim.com
instagram @kimvenchy

DPR REM

Gründer und Creative Director des Musikkollektivs DPR

Stil und Einflüsse

Mein Vater, der über 35 Jahre lang in den USA und Korea in der Schuhbranche arbeitete, ist mein Vorbild für mein Tun. Er war tief in seiner Arbeit verwurzelt. Auf ähnliche Weise bewundere ich Creative Directors, die nicht nur an ihre Arbeit glauben, sondern auch vielfältige Interessen haben und sich in vielen Bereichen auskennen.

Ich glaube, dass mein Stil zwar eher zurückhaltend ist, ich aber auch stets einen Blickfang zu bieten habe. Ich bin in New York geboren und aufgewachsen und zog mit Anfang 20 nach Korea. Zuerst kam es mir dort ähnlich wie in New York vor, doch je länger ich hier lebe, desto tiefer tauche ich in die koreanische Kultur ein. Es geht weniger um Stil, sondern vielmehr um Persönlichkeit. New Yorker gelten oft als schroff, kühl und sehr direkt. In Korea funktioniert das in bestimmten Situationen, aber nicht immer darf man sich wie ein New Yorker benehmen. Herauszufinden, wann welches Verhalten angebracht ist, war für mich der Schlüssel zum Erfolg.

Mir gefällt die Vorstellung, dass mich etwas Geheimnisvolles umgibt, und ich denke, dass sich dies stark in dem Stil widerspiegelt, den ich für DPR schuf. Besonders für unsere Zeit, in der die sozialen Netzwerke so stark genutzt werden und Künstler oder Labels dazu neigen, alles von sich zu offenbaren, finden wir, dass unsere Kunst für sich selbst sprechen sollte. „Wenn ihr das mögt, was wir machen, dann willkommen an Bord!“ Unsere Fans lieben das Überraschungselement, und das wiederum bewirkt eine persönliche und langfristige Bindung. Man weiß immer, wer einen wirklich unterstützt. Wir glauben, dass unsere Fans inzwischen wissen, wie wir vorgehen.

Zur Entstehung von DPR

Ich lernte DPR IAN kennen, als ich 2014 das erste Mal nach Korea kam. Etwa zu dieser Zeit starteten wir DPR, wir machten einfach das, was uns gefiel, in klanglicher wie auch in visueller Hinsicht.

Wir fanden beide, dass Korea hinsichtlich der Möglichkeiten im Entertainment noch unterentwickelt sei; es war alles andere als einfach, Geschäft und Kreativität in Einklang zu bringen. Es ging sozusagen um „Künstler gegen Management“. Aber vermutlich trieb uns genau das an: der Aspekt, dass man die beiden miteinander verbinden und so Erfolge erzielen könnte. Und was wäre schöner, als das selbst zu gestalten? Und das auch noch zusammen mit Freunden.

Wir glauben an eine DIY-Kultur. Anders als die großen Unterhaltungslabels, die wie eine riesige Maschinerie wie auf Befehl funktionieren, haben wir einen freien Stil. Unsere Herangehensweise ist demokratisch, weil wir fast alle Entscheidungen im Team abstimmen, was in dieser Branche selten ist. Wir handeln als Team und arbeiten ruhig und konzentriert, um ein gutes Ergebnis zu erzielen. Wir lieben die Reaktionen unserer Fans, sie treiben uns an. Es ist, als würde man eine Überraschungsparty für einen Freund vorbereiten.

In Seoul leben und arbeiten

Ich finde es berauschend. Als ein immer noch junges und wachsendes Wirtschaftssystem bietet Korea tolle Entwicklungsmöglichkeiten. Wie schon erwähnt bin ich Amerikaner. Aber ich bin auch stolz darauf, Koreaner zu sein. Ich kam in das Land meiner Eltern, um mich inspirieren zu lassen, und jetzt versuche ich, global das zu verbreiten, was ich reinterpretiere. Wir bei DPR haben alle irgendwie koreanische Wurzeln, doch mit unterschiedlichen Hintergründen, wie USA, Australien oder Guam, vermutlich macht genau das uns so anders und einzigartig. Wir verfügen über so viele unterschiedliche Perspektiven, dass sich jedes Projekt, für das wir uns zusammenfinden, für alle neu anfühlt. Wir haben uns Koreas bedeutendster Branche angenommen, der Unterhaltungsindustrie, und haben sie nun für die ganze Welt nach unseren kollektiven Vorstellungen geformt.

Unabhängigkeit und Selbstständigkeit

Wir konzentrierten uns auf das, was wir gut konnten, und stellten unser eigenes Videoproduktionsteam zusammen. Anfangs haben wir irgendwelche Videos gemacht und sie in den sozialen Netzwerken gepostet. Das sprach sich herum, Unterhaltungsfirmen erteilten uns Aufträge, und so begannen wir, Musikvideos für andere Künstler zu drehen. Wir nutzten diese Chancen, um Geld zu verdienen und in unsere eigene musikalische Produktion zu investieren, und das brachte schließlich unseren eigenen ersten „Künstler" hervor, DPR LIVE, und seine Debüt-EP, *Coming To You Live*.

Mit der Zeit fanden wir, dass wir bei all dem Filmen anderer Musiker selbst zu kurz kamen, und hörten deshalb damit ganz auf.

Inzwischen filmen wir nur noch das, was mit DPR zu tun hat, weil wir uns von anderen keine Vorschriften mehr machen lassen wollen. Bei anderen großen Labels verläuft die Entwicklung ganz anders. Da müssen viel zu viele Leute zustimmen, und es gibt zu viele Vorgaben. Irgendwann geht die Leidenschaft verloren, und alles wird nervig.

Um autark zu werden, mussten wir in unseren sozialen Netzwerken und innerhalb unserer Community präsenter werden und verzichteten im Gegenzug auf Auftritte im Fernsehen oder im Radio. Stattdessen sprechen wir unsere Fans direkt an und erfahren ihre unmittelbare Unterstützung.

Prinzipiell haben wir nichts gegen Fernsehauftritte, es gefällt uns nur gerade am besten so, wie wir es machen. Auf diese Weise behalten wir auch die Kontrolle darüber, was und wie es rausgeht. Bei der Zusammenarbeit mit Sendern verliert man diese Freiheit. Abgesehen davon ist es für uns auch eine tolle Bestätigung, dass wir allein auf der Grundlage unserer Arbeitsethik und unseres Engagements Erfolg haben. Das ist die Botschaft, die wir der Allgemeinheit ver-

mitteln wollen: Alles, was man braucht, ist ein zuverlässiges Team und eine gemeinsame Leidenschaft. Damit kann man die Welt erobern.

Die Kleidung von DPR

Immer wieder fragten die Fans, was wir tragen, und so kamen wir auf die Idee, „unser eigenes Zeug zu machen“. Jedes Kleidungsstück basiert auf einem Schnittmuster, an dem alle Teammitglieder mitarbeiten. Dabei setzen wir uns keine Termine, sondern lassen uns für die Entwicklung die nötige Zeit. Vor Kurzem brachten wir mit der Marke IISE eine Kollektion heraus. Wir kennen uns, deshalb wollten wir gern zusammenarbeiten. Dabei sollte etwas herauskommen, das nicht nur für beide Seiten, sondern auch für das Publikum neu war.

Der Schaffensprozess lief ganz organisch ab. Das IISE-Team kam in unser Studio, das so zu einer großen Werkstatt wurde, alle setzten sich hin und zeichneten ihre Ideen zu bestimmten Themen. Daraus erarbeiteten sie Designkonzepte, und wir wählten aus, was uns gefiel. So entstand die Kollektion „DPR DREAMS CURATED BY IISE".

Die Entstehung des K-Styles

Korea wurde zu einem Kraftzentrum der Inhalte. Etwas, das cool ist, geht sofort viral, man hat die ganze Welt als Publikum. Unsere Zeit ist unglaublich virtuell, schnell und leicht zugänglich. Andererseits sollte man sich gelegentlich auch gönnen, ein bisschen analog zu sein und sozusagen die reale Welt zu genießen.

In der Unterhaltungsbranche beginnen viele Leute sehr früh zu arbeiten. Als ich mit 24 oder 25 anfing, hielt ich mich für sehr jung, doch inzwischen sehe ich noch jüngere Kids produzieren. Dank der modernen Technologie konnten junge Leute zu Unternehmern werden. Man braucht gar keinen Plattenvertrag mehr, man macht einfach einen Song und postet ihn in den sozialen Netzwerken, und wenn man den richtigen Dreh raus hat, erhält man dafür Anerkennung.

Der K-Style entwickelt sich immer noch weiter. Es gibt viele Schichten zu ergründen. K-Pop bietet einen Einblick in die koreanische Kultur, aber es gibt noch mehr zu entdecken. Wir sind uns sicher, die Musikszene um mehr Diversität bereichern zu können. Unser Ziel besteht darin, durch Kulturaustausch und die persönlichen Erfahrungen unserer Teammitglieder neue Akzente zu setzen.

Die Ziele von DPR

Unser größtes Ziel besteht darin, ein Vermächtnis zu hinterlassen. Wir wollen als ein Team in Erinnerung bleiben, das Grenzen sprengte und etwas mehr hinterließ als nur oberflächliche Unterhaltung. Wir wollen zeigen, dass man Träume tatsächlich verwirklichen kann. Als ich nach Korea kam, verstand ich weder die Sprache noch die Kultur, und ich hatte keine Ahnung, wie man Musik unter die Leute bringt oder ein Label der Unterhaltungsindustrie managt. Doch jetzt, wo ich so weit gekommen bin und auf die letzten fünf Jahre zurückblicke, sehe ich, dass man seine wildesten Fantasien wahr werden lassen kann. Man muss nur ein unerschütterliches Vertrauen in die eigenen Ziele haben und sich mit den richtigen Leuten umgeben.

dreamperfectregime.com
instagram @dprrem

„Der K-Style mixt alles Coole mit einer gewissen Dynamik. Das erregt sofortige Aufmerksamkeit."

— Marc Cansier, Mitbegründer von Marc & Chantal

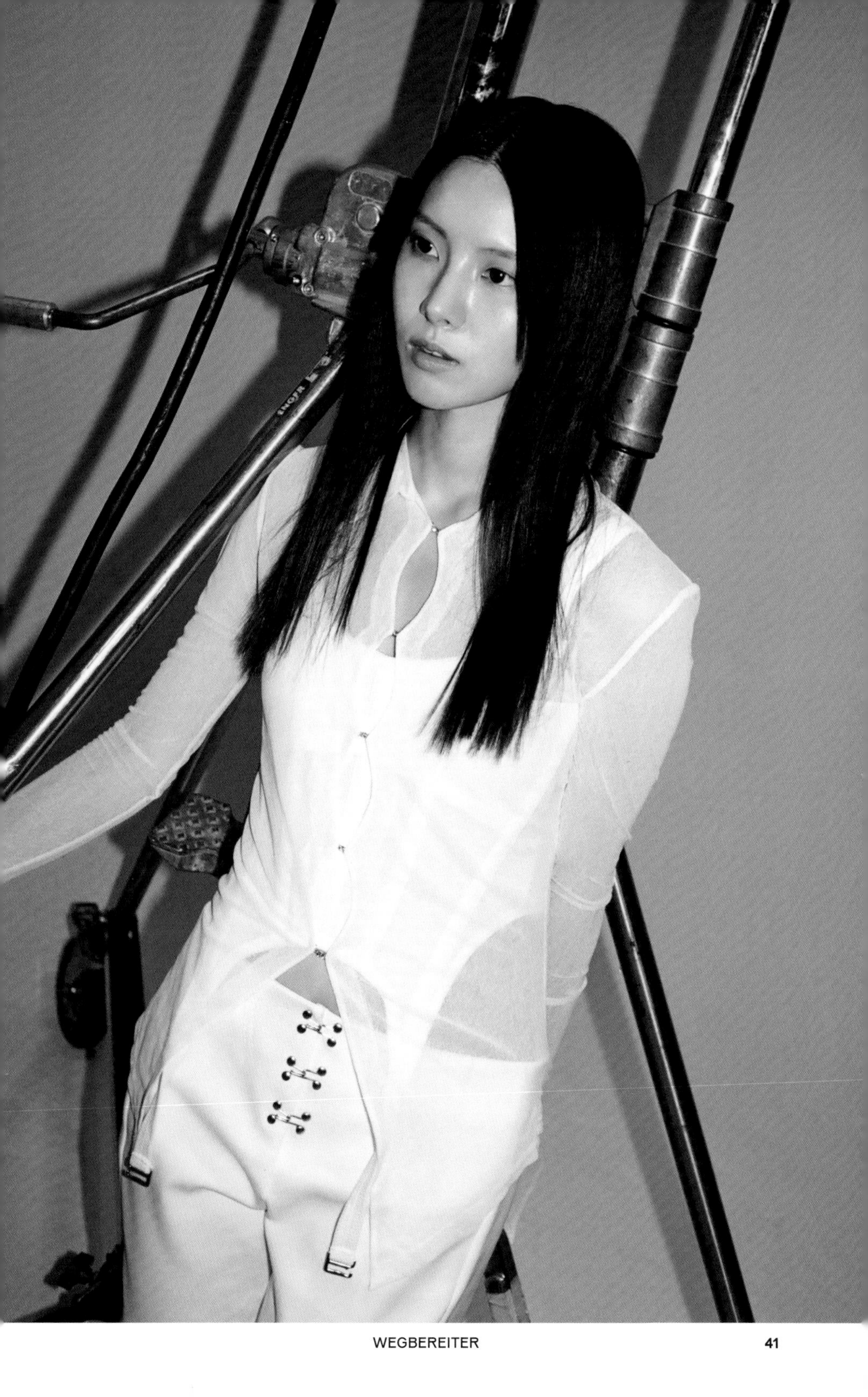

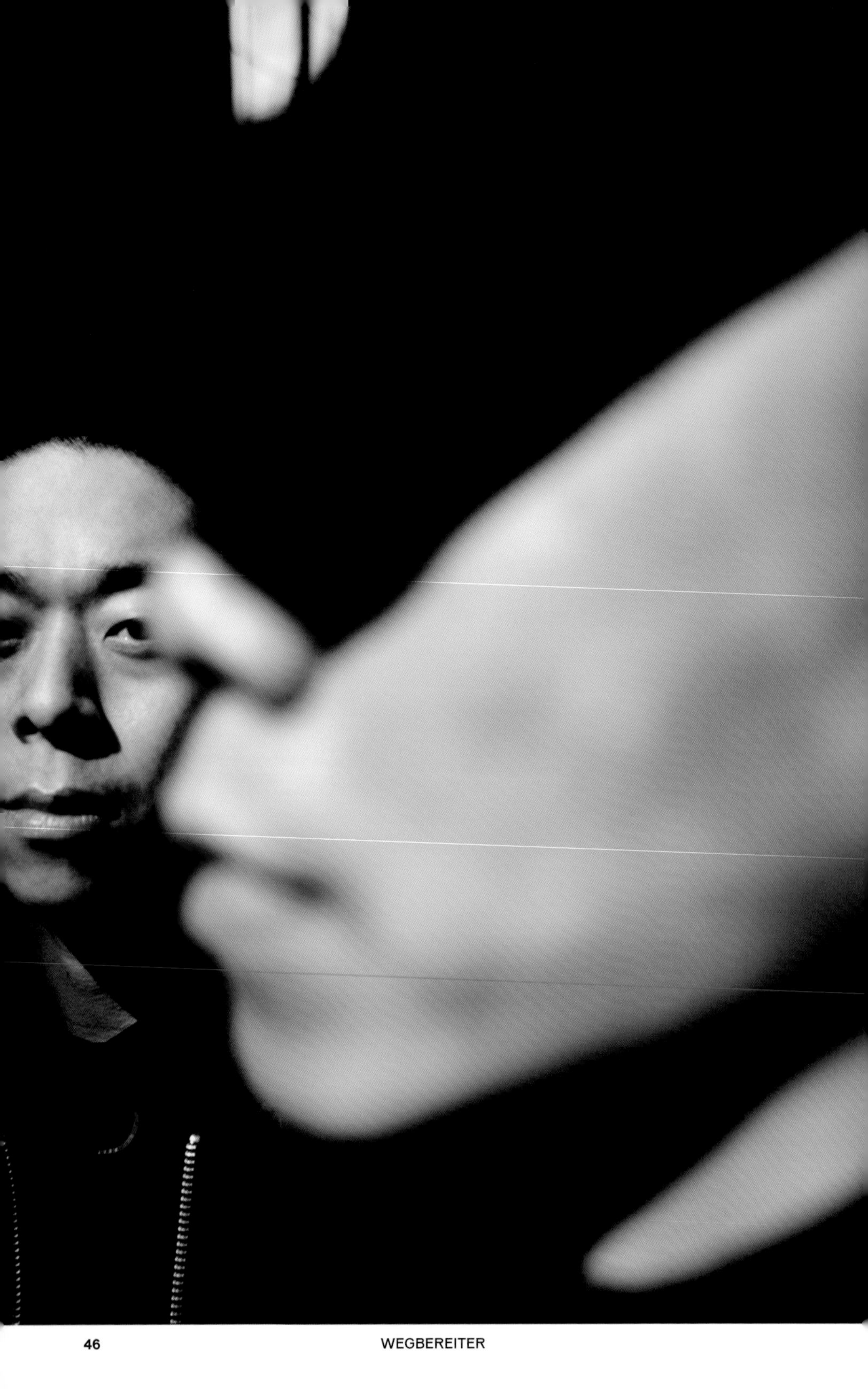

THE GRAND BUDAPEST HOTEL

대한통운
CJ 대한통운

BASF-Autolack Systeme

英雄本色
함박웃음순대국
함박
웃음
순대국

Mingles

ETY NINE

2층

self service
SWEAT
THE WORLD'S BIGGEST SELLING ALBUM OF ALL TIME
COLLECTIONS FEMME
High on Design
gestalten
sacai A to Z
Raf Simons
TASCHEN
NEIGHBORHOOD.
Storage Container
Hardware
Daily Stuff
Hand Tools
Stationery

Xu수 m민een

Koreas bekanntestes Fashion-Model

Stil und Einflüsse

Meine Stilinspiration bin ich selbst. Vermutlich wurde ich für dieses Buch deshalb ausgewählt, weil die Betrachter von meinem Anblick fasziniert waren und ihnen dann kein anderes Model mehr einfiel. Ich bin lieber ein „Xu Meen“, der Einfluss auf jemanden hat, als ein „Xu Meen“, der durch den Einfluss von jemand anderem geformt wurde.

Anstatt „Xu Meen“ schlicht auf einen einzigen Stil zu reduzieren, werde ich durch die verschiedenen Rollen betrachtet, in die man mich steckt. So können diverse Faktoren die Entwicklung meines Charakters beeinflussen. Eine Rolle spielt auch die Kultur der Zeit, in der ich lebe, die Gedanken, die ich zu einem gegebenen Zeitpunkt hatte… Ich weiß nicht genau, was es ist. Aber man kann nicht sagen, dass diese Elemente direkt in meinen Stil hineinprojiziert werden; nachdem der Filter „Xu Meen“ angewendet wurde, lässt sich scheinbar alles Mögliche mithilfe meines Stils ausdrücken.

Vor dem Beginn eines Shootings versuche ich zu verstehen, wie alles laufen soll. Am Set dann tausche ich mich laufend mit den Designern und dem Creative Director über ihre Vorstellungen aus.

Wesentlich ist ein hohes Maß an Selbstvertrauen. Man muss davon überzeugt sein, der Beste auf seinem Gebiet zu sein, nur dann glauben auch die Leute daran. Man kann nicht erwarten, dass das Selbstvertrauen plötzlich während einer Modenschau oder eines Shootings entsteht. Selbst die kleinste Unbeholfenheit merkt man.

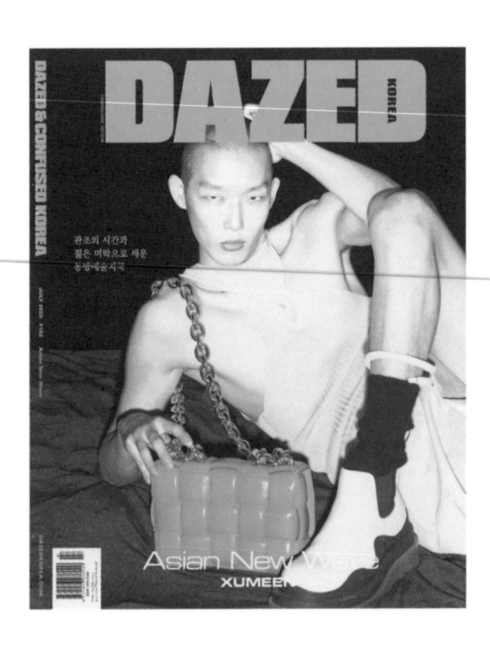

Das Schöne am Modeln

Alles, was ich als Model erlebe, ist unbeschreiblich wertvoll. Auf den Reisen in die vielen Städte in unterschiedlichen Ländern eine Vielfalt an neuen Kulturen, Menschen, Sprachen und Werten zu erleben, bereitet mir große Freude und befördert meine Entwicklung.

Die Aufregung, die einem der Laufsteg bei Modenschauen vermittelt, macht die Leute verrückt. Eine Schau dauert normalerweise zehn bis zwanzig Minuten. Das Live-Geschehen innerhalb dieses Zeitraums, in dem die ganze Welt konzentriert auf dich blickt, all das und die Beleuchtung, das Surren der Kameras und die anerkennenden Bemerkungen lassen meinen Adrenalinspiegel in die Höhe schnellen.

Draußen warten Fotografen, um Fotos von den Models zu machen. Sie rufen meinen Namen, fordern mich auf, in ihre Kameras zu blicken. Ich fahre zur nächsten Modenschau, und alles wiederholt sich. In den Modewochen nehme ich täglich an mehreren Schauen teil. Das Ganze lässt sich nur schwer beschreiben.

Foto- oder Werbeshootings besitzen einen anderen eigenen Reiz. Man kooperiert mit führenden Marken und Profis und kann nur durch echtes Teamwork Erfolg haben. Anders als bei Modenschauen sind die allgegenwärtigen Werbebilder für Menschen konzipiert, die sich nicht für Mode interessieren oder nichts darüber wissen.

Jeder Laufsteg, jedes Set besitzt seinen eigenen Charme, und die Energie, die sie mir schenken, bewirkt, dass ich mich wieder wie die Person fühle, die „Xu Meen“ genannt wird.

Wie man ein erfolgreiches Model wird

Wie viele Menschen in Ihrer unmittelbaren Umgebung sind Models? Nicht Instagrammer, Tik-Toker oder Blogger, sondern echte Models? Ich glaube, dieser Job ist zu mindestens 99 Prozent Berufung. Die Persönlichkeit, das Aussehen, die Größe, die Proportionen und das Talent, all das muss zusammenpassen. Und für das letzte Prozent gibt es keine klare Definition.

Natürlich kann man für die Arbeit als Model eine gewisse Ausstrahlung und Talent gut gebrauchen. In erster Linie aber sollte man in der Lage sein, durch die äußere Erscheinung den eigenen Charme zu vermitteln. Wenn man einen Laufsteg entlanggeht oder in einem Werbespot auftritt, verkörpert man ein Fantasiebild. Dieses wird die Grundlage für die Entscheidung der Leute bilden.

Leben in Seoul

Ich verbringe viel Zeit im Ausland, und deshalb ist eine Rückkehr nach Korea nach langer Abwesenheit ein Urlaub, den ich mir gönne. Ich treffe mich dann mit koreanischen Freunden, die ich lange nicht mehr gesehen habe. Solche Heimaturlaube sorgen dafür, dass ich meine koreanische Identität nicht vergesse.

Die Entstehung des K-Styles

Als Model vertrete ich verschiedene Marken, bin aber nicht unmittelbar am Entwurf oder Styling beteiligt, und somit bin ich nicht jemand, der K-Style kreiert. Deshalb ist es schwierig, auf die Frage, was K-Style ist, eine klare Antwort zu geben.

Dennoch glaube ich, dass das Besondere am K-Style die „Möglichkeiten“ sind. Im Allgemeinen verändert sich Mode von Saison zu Saison. Von einem Jahr zum nächsten findet zwar kein drastischer Wandel statt, aber es gibt immer Veränderungen. Korea ist ein trendbewusstes Land, und die Leute hier agieren gern schnell. Ich glaube, dass das Verständnis und der schnelle Wechsel in der Mode in Korea der grundlegenden Natur von Mode entsprechen. Da der Grundcharakter von Korea selbst einige Eigenschaften der Mode in sich birgt, freue ich mich auf die Zukunft der koreanischen Mode.

instagram @xumeen

Serian Heu 허세란

Visual Director von Hybe und frühere Digital Director von *Vogue* Korea

Stil und Einflüsse

Ich verwandle mich jede Saison und lasse mich von Designern, Musikern und den Leuten inspirieren, für die ich fotografiere. Die Schauspielerin Jeon Do-yeon lichtete ich im Label Off-White für *Vogue* ab. Ich fand es cool, dass eine 48-jährige Schauspielerin sich nicht scheute, etwas radikal Neues auszuprobieren.

Ich mag verschiedene Styles und kleide mich je nach Tagesstimmung. Ich mag Modelle von jungen Designern, auch koreanischen. Farben und Muster ziehen mich an. Ich kombiniere gern Couture und Streetfashion, wie einen Prinzessinnenlook mit einem Basecap.

Arbeitsidentität

Ich versuche ungewöhnliche Marken zu berücksichtigen und die Grenzen des typischen K-Pop-Stils zu sprengen. Modisch und kulturell gesehen plädiere ich für mehr Offenheit und möchte ein breiteres Publikum ansprechen. Als Leiterin für das Visuelle bei ENHYPEN von Hybe komme ich mir vor wie der Trainer einer Sportmannschaft. Neues stößt bei der Gruppe oft auf Ablehnung. Sie ziehen ein Modell erst an, wenn sie völlig überzeugt sind, deshalb diskutieren wir ständig. Das wiederum hilft mir, sie besser zu verstehen, und es inspiriert mich zugleich, was erfrischend ist. Jede Schau und jedes Shooting ist wie ein Wettkampf. Alle Mitglieder agieren gleichzeitig auf der Bühne, wobei ich versuche, die Eigenheiten jedes Einzelnen zu fördern. Für die Recherche schaue ich mir Bücher an oder die Websites von Fotografen und Designern.

Instagram finde ich verwirrend, weil es voll von ausgewählten Bildern ist, die keine richtige Geschichte erzählen.

In Seoul leben und arbeiten

Manchmal wünsche ich mir, ich würde irgendwo im Ausland leben, wie in London, weil ich dort kreativer wäre. In der Seouler Mainstream-Modeszene spielen Verbindungen über die frühere Schule und die Heimatstadt eine allzu große Rolle. Es deprimiert mich, dass mehr Wert auf den Lebenslauf und die Titel gelegt wird als auf die tatsächlichen Fähigkeiten. Zum Glück ändert sich das gerade.

Meine ausländischen Lieblings-Modemarken sind in Korea kaum erhältlich, und die wenigen Läden, die sie führen, sind ziemlich vollgestopft und beengt. Andererseits finde ich es total spannend, im Zentrum des K-Pops zu sein, der die globale Modeszene beeinflusst.

Die Entstehung des K-Styles

Früher musste man sich in einen Trend wirklich vertiefen, um ihn zu verstehen. Heute dagegen findet jeder sofort Zugang zum globalen Modegeschehen. Für jemanden wie mich, der bei Printmedien arbeitete, fühlt sich das ziemlich beängstigend an, gleichzeitig aber ist mir klar, dass es K-Fashion zu rascherer Verbreitung verhilft. K-Pop steht für Asien und macht auf die koreanische Mode aufmerksam.

Trends in Korea

Koreaner konsumieren Trends allzu schnell. Wir legen keine eigenen Standards fest und hinterfragen unser Verhalten nicht. Ich bin klein, habe mir aber viele Sachen gekauft, die nur großen Frauen stehen.

Um als modebewusst zu gelten, legt man vieles schnell beiseite, sobald die anderen es tragen. Hier kommen und gehen die Trends in atemberaubendem Tempo. Doch trägt der Ruf, trendig zu sein, auch zur rasanten Entwicklung einer Modeindustrie bei, die dann ihrerseits begabte Designer fördern kann. Fashionistas lieben alles, was rar ist,

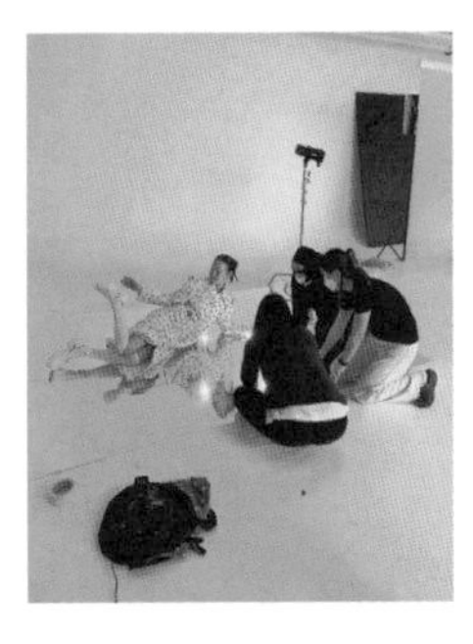

denn sie wollen ja einzigartig aussehen. Die jungen Marken machen sich das zunutze. Für die Modelle in limitierten Auflagen des Labels Dada standen die Kunden Schlange. Wenn man in einen coolen Laden in Hongdae geht, tragen die Hipster dort alle denselben Stil.

Interaktionen zwischen Subkultur und Mainstream

Alles, was cool ist, entsteht in der Subkultur und verlagert sich dann in die Massenkultur. Die Subkultur verachtet diese und legt sofort alles ab, was vom Mainstream aufgenommen wird. Kanghyuk und Hyein Seo sind bemerkenswerte Marken, die Interviews mit *Vogue* ablehnten, weil sie nicht wollten, dass Massenmedien über sie berichten.

Der Kontrast zwischen dem Mainstream und der Subkultur ist faszinierend. Viele sind bestrebt, in die Mainstream-Modeszene hineinzukommen. Die Menschen, die dort etwas zu sagen haben, beurteilen ständig die anderen und begegnen Neulingen misstrauisch. Subkultur-Communities halten zwar ebenfalls eng zusammen, sind aber offener. Sie interessieren sich auch für neue, besondere Mode-Charaktere.

Wenn ich in meiner Zeit bei *Vogue* hippe Leute aus Subkulturen traf, fühlte ich mich befangen. Ich hielt mich bedeckt und sagte nur, dass ich in der Medienbranche tätig sei. Ich gehöre nicht wirklich in die Couture-Sphären. Subkultur macht mir einfach mehr Spaß.

Das Förderungssystem für K-Fashion

Es gibt hier viele besondere Designer, die für die großen Fashion-Weeks bereit sind. Seoul genießt internationale Aufmerksamkeit,

doch die Seoul Fashion Week hat absurd strenge Regeln. Führende Designer veranstalten deshalb ihre eigenen Schauen. Doch nur wenige können sich das leisten. Junge Talente benötigen eine Plattform für ihre Arbeiten. Seoul ist ein guter Ort für Mode, weil es günstiges Material und gute Handwerker zu bieten hat. Es gibt tolle Fotografen und Videofilmer, die neue Technologien einsetzen. Aber die Modefirmen verheizen Ideen. Neues und Cooles wird sofort reproduziert, dadurch geht die Originalität rasch verloren. Die Kreativen wiederum müssen mitmachen, bevor ihre Arbeiten den Neuheitswert verlieren.

Mode kopieren

Die neue Generation kopiert immer noch viel. In der digitalen Welt sehen die jungen Leute unglaublich tolle Dinge, deshalb glauben sie, dass auch ihr eigener Stil umwerfend ist. Doch es mangelt ihnen an Tiefe. Es ist nur oberflächlich cool. Unsere Generation musste jahrelang arbeiten, um bestimmte Positionen zu erlangen, während sich die jungen Leute von heute ihre Titel selbst verleihen.

Dennoch gibt es heute immer mehr beachtliche Talente, wie die koreanische Marke PAF (Post Archive Faction). Sowohl ihre Modelle als auch deren Präsentation sprechen mit ihrer markanten Sprache ein globales Publikum an. PAF gelang es aufzugreifen, was wirklich cool ist, und es sich zu eigen zu machen, ohne Korea zu verlassen.

Modezeitschriften und K-Style

Die Zeitschriftencover entfachen Begeisterung für frisch gebackene K-Pop-Stars. Nachdem *Vogue* sich der Kraft von Subkultur und K-Pop bewusst geworden war, legte sie ihren traditionellen Stolz ab und stieg in die reale Welt herab. Ich unterstützte *Vogue* dabei, ihre „Persona" zu verändern: von der smarten Snobistin zu einer coolen, frechen Frau, die gern mit hippen Kids abhängt. Dieser Wandel fand bei *Vogue* Korea schneller statt als bei der amerikanischen *Vogue*.

instagram @xerianheu

Gründer der Streetwear-Marke 99%IS-

Stil und Einflüsse

Ich bin mit Punk-Musikern aufgewachsen und habe schon als Kind gern Konzepte entworfen. Vor meiner Kollektion „Yortsed“ („destroy“ rückwärts geschrieben) machte ich Kleidung, die in Clubs, auf nächtlichen Straßen und beim Rauchen in Toiletten cool aussah. Damit wollte ich die Suche nach Inspirationen von außen hinterfragen. Ich vermurkste versehentlich die Modelle für die Schau, sodass ich nichts präsentieren konnte. Es hat schon immer Bewegungen gegeben, die eine Ära widerspiegelten, wie Woodstock oder die Hippiekultur oder der Reggae in Jamaika. Ich wollte meine eigene Bewegung gründen.

Ich habe eine Punk-Mentalität. Leute halten mich für seltsam, verrückt. Mir ist wichtig, was heute für uns anders und besonders ist. Unser Slogan lautet: „Ich bin das 1% der 99%.“ 1% macht 99% wett.

Mit dem Kleidermachen fing ich schon als Kind an, weil ich nichts zum Anziehen fand. Das bildete das Fundament für meine Marke. Mit 13 wollte ich eine Hose mit Schottenkaro haben, und so zeichnete ich das Muster auf eine weiße Hose auf. Als es regnete, zerliefen die Farben und tropften auf meine teuren Schuhe.

Entwicklung und neue Ansichten

Ich nähte oder änderte die Kleidung von Musikern, denen ich hinterherreiste. Sie drängten mich, eine Modeschule zu besuchen, um ihnen Sachen schneidern zu können, in denen sie cool aussahen. Später konnte ich niemanden um fachlichen Rat fragen, also blieb mir nichts anderes übrig, als mit Versuch und Irrtum zu arbeiten.

Meine Projekte beschäftigen mich so sehr, dass ich nicht ausgehen kann. Für meine letzte Kollektion zog ich mich sieben Monate lang in ein Hotelzimmer zurück. Ich kann keine zwei Kollektionen pro Jahr herausgeben, weil das Nähen von Hand so viel Zeit erfordert.

Früher wollte ich von der Welt nicht abgelenkt werden und setzte auf ein Eremitendasein. Doch dann merkte ich, dass ich eine große Verantwortung trage und die Gabe besitze, andere beeinflussen zu können. Mein Label 99%IS- bekam immer mehr Fans, inzwischen können wir über „unsere Geschichte“ reden. Meine 16. Kollektion trägt den Titel: „OUR STORY WILL BE H1%STORY“.

Über Trends

Irgendwo habe ich gelesen, dass Johnny Rotten von den Sex Pistols in den 70ern die erste Digitaluhr getragen haben soll. Dr. Martens verwendete den Begriff „air“ lange vor Nike. Sie waren ihrer Zeit voraus.

Ich habe nichts gegen Trends oder Mode. Was ich kreiere, wird Trend oder Mode. Style sollte sich von selbst ergeben. Ich will eine innere Haltung zum Ausdruck bringen. Anstatt für eine Woche nach Hawaii zu fliegen oder sonstwo nach Inspiration zu suchen, hole ich mir diese aus einem Moment, in dem ich etwas erschaffe: Ich ließ Kleidung „explodieren", ließ Models auf dem Laufsteg eine Zigarette auf einem Mantel ausdrücken, ich setzte Models in ein aufgeschnittenes Auto, um sie auf dem Laufsteg noch mürrischer aussehen zu lassen. Das ist meine Art, etwas zu kreieren und mich auszudrücken.

In Seoul leben und arbeiten

Ich bin in Korea aufgewachsen, mir wurde oft gesagt: „Du kannst dies und das nicht tun." Ich fand das verwirrend. Warum denn nicht? Hatte ich es denn nicht schon getan? Könnte ich es tun?

Mit dem Kleidermachen fing ich in Japan an. Erst nach meiner Rückkehr nach Seoul merkte ich, wie sehr ich mich an die japanische Lebensart gewöhnt hatte. In Korea wurden meine Sachen als Krankenhauskleidung bezeichnet. Ich war nur ein komischer Junge mit stark geschminkten Augen. Korea war voller Dinge, die ich nicht machen sollte, dabei hatte ich sie noch nicht mal ausprobiert. Doch ich merkte, dass es einen Unterschied gibt zwischen den Dingen, die man nicht machen darf, und denen, die noch keiner zu machen versucht hat.

Die Entstehung des K-Styles

Es lief so wie mit dem Japan- und Tokyo-Style: Das Interesse war schon vorher da und wurde durch den Begriff weiter angestachelt. Ich bin gespannt darauf, wie ich den K-Style weiterentwickeln kann.

Und was kommt als Nächstes?

Ich habe einen Traum: Ich will im Lauf meines Lebens eine neue Welt kreieren. Sie wird auf dem „Jetzt" gründen und aus Musik, Essen und Spiel sowie aus der Mode hervorgehen. Ich möchte sie mit Freunden entwickeln und mit Leuten, die ich noch kennenlernen werde. Ungeachtet dessen, was wir nicht tun sollen, nehmen wir Herausforderungen an. Die Welt, die ich entstehen lasse, kann ein lustiger Film sein, ein tragischer Roman oder eine fröhliche Kindergeschichte. Ich lebe heute einfach nur für den Tag, an dem mein Traum wahr wird.

99percentis.com
instagram @99percentis

Kevin und Terrence Kim, Gründer der Streetwear-Marke IISE

Stil und Einflüsse

Terrence (T) und Kevin (K): Unsere Mutter hat bei allem, was wir tun, definitiv den stärksten Einfluss auf uns. Als wir klein waren, besuchten wir in New York Museen, Galerien und Aufführungen. Sie interessierte sich auch sehr für Inneneinrichtung, Möbel und Töpferei. Sie arbeitete in New York in einer Agentur, die große europäische Marken importierte, und ich erinnere mich, dass ich sie mehrmals in der Firma besucht und die Regale mit den Mustern durchgeschaut habe.

T: Ich persönlich mag klassische Basics mit modernen Details, und Bequemlichkeit und Funktion sind mir am wichtigsten. Und Marken wie Jil Sander und Issey Miyake, die unsere Mutter ebenfalls liebte.

K: Ich trage einfach nur das, was bequem ist. Wenn es um meine eigene Garderobe geht, kümmere ich mich weniger um Stil und ums Shoppen, weil ich den Großteil meiner Zeit damit verbringe, über Mode nachzudenken und Modelle für unsere Marke zu entwerfen. Am Schluss trage ich dann doch IISE, also sind die Marke und mein eigener persönlicher Stil in gewisser Weise miteinander verflochten.

T: Unser Ansatz für IISE unterscheidet sich von dem früherer Designergenerationen, die koreanische Tradition und Ästhetik interpretierten, dadurch, dass wir Streetculture einfließen lassen. Wir aktualisierten nicht nur das Design, sondern auch die gesamte Präsentationspalette, zu der Hip-Hop, Streetstyles und neuartige Aufnahmen und Hintergründe zählen. Für unser erstes Video, in dem wir natürlich gefärbte Textilien vorstellten, schuf Kevin aus den Klängen traditioneller koreanischer Instrumente einen Hip-Hop-Beat.

In Seoul leben und arbeiten

T: Als koreanische Amerikaner in Seoul zu leben stärkte unser Identitätsgefühl. Wir werden ständig daran erinnert, dass wir eigentlich Ausländer sind, die in Korea leben, doch wie wir diese Erfahrungen verarbeiten und sie in unsere Arbeit übertragen, ist das, was IISE ausmacht. In Seoul Kleidung herzustellen bietet viele Vorteile. Die Infrastruktur und die Nähe zu all den Stoff- und Zubehörmärkten, Handwerkern, Musterschneidern und Designern bewirken, dass der gesamte Herstellungsprozess vom Entwurf bis zum Endprodukt unglaublich schnell abläuft und relativ preisgünstig ist, vor allem im Vergleich mit anderen großen Metropolen.

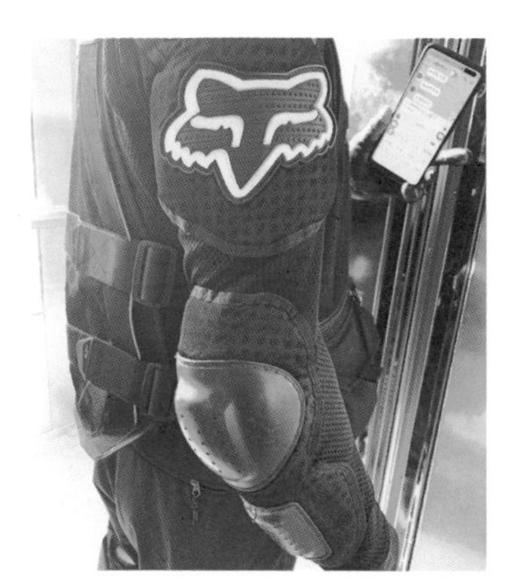

Marke und Identität

K: Unser Markenkonzept beruht auf koreanisch inspirierter zeitgenössischer Mode. Viele Marken erfinden einfach nur den koreanischen Hanbok neu oder integrieren traditionelle Kunst in einen modernen Kontext. Unser Anspruch ist, dass jede Kollektion von Korea inspiriert sein soll, weshalb wir uns jedesmal intensiv mit der Geschichte und Kultur beschäftigen müssen, die für uns verhältnismäßig neu sind.

T: Als wir 2012 nach Korea kamen, bezogen wir unsere Inspirationen von unseren Reisen durch das Land. Unsere ersten Taschenkollektionen waren aus traditionellen, natürlich gefärbten koreanischen Stoffen hergestellt und erinnerten an die riemenlosen Beutel der buddhistischen Mönche. Als Zubehör für unsere Taschen verwendeten wir Schubladengriffe für traditionelle koreanische Möbel. Im Grunde war es eine Copy-and-paste-Methode, aber auf neue Art ausgeführt.

Nachdem wir eine Weile in Korea gelebt hatten, ließen wir uns vom Seouler Alltag inspirieren. Auf unserem Weg zur Arbeit kamen wir täglich in die Gegend des Gyeongbokgung Palace, wo wir jahrelang Demonstrationen erlebten. Wir achteten darauf, was die Demonstranten und was die Polizisten trugen, und entwarfen Modelle, die Elemente beider Seiten aufgriffen.

K: Unsere Herbst/Winter-Kollektion 2021 stellt unsere Interpretation koreanischer Arbeitskleidung dar, die sich stark von der amerikanischen unterscheidet. Entscheidend ist, was man in Korea günstig bekommen kann. So tragen die Fahrer der Paketdienste eine Kombination aus Wanderkleidung und Polohemden, die sie mit Aufnähern von Motorradmarken aufpeppen. Das sind die stylishsten Typen von ganz Seoul. Korea will der Welt eine sauberere, modernere Version seiner selbst präsentieren. Die Paketfahrer sind da außen vor, doch wir finden sie sehr interessant. Sie bilden das Rückgrat der Arbeiterklasse, ohne sie würde die Stadt einfach nicht funktionieren.

T: Wir sind in den USA geboren und aufgewachsen und haben als Erwachsene inzwischen acht Jahre in Korea verbracht, das hat uns und unsere Modemarke geprägt. Wenn wir etwas „allzu Koreanisches“ kreieren, wird das als altmodisch und langweilig wahrgenommen. Umgekehrt gilt es möglicherweise als verwestlicht und uninteressant.

Auf den älteren Märkten in Seoul entdeckten wir natürlich gefärbte Textilien. Wir fanden die Farbe, die Struktur und das Herstellungsverfahren interessant. Die Marktverkäufer vermittelten Kontakte zu den Stoffproduzenten und den Färbern. Als wir sie auf dem Land besuchten, waren sie überrascht, dass zwei amerikanische Brüder mehr über ihr Handwerk wissen wollten. Sie luden uns zum Essen ein und erzählten uns, wie sie zum Färben gekommen waren.

Die Entstehung des K-Styles

T: Seoul entwickelt sich von Jahr zu Jahr weiter. Als wir herkamen, waren wir noch keine Fans der hiesigen Marken, doch im Lauf der letzten Jahre sind viele tolle neue Marken entstanden. Die Stadt besitzt so unglaublich viel Energie und ist technologisch so weit fortgeschritten, dass sich unter den Jugendlichen alles schnell verbreitet.

K: K-Fashion konnte sich auch deshalb entwickeln, weil unsere Generation oder noch Jüngere den Luxus genießen können, sich mit Kunst, Mode und Kultur zu beschäftigen. Korea ist erst seit verhältnismäßig kurzer Zeit ein reiches Land, sodass wir relativ spät in das globale Modekarussell eingestiegen sind und der K-Style entstehen konnte.

T: K-Style ist eine Spiegelung von Seoul. Er ändert sich ständig, nimmt Neues in sich auf, steigert sich. Das macht es so schwer, ihn zu definieren, aber zugleich ist K-Style dadurch so spannend.

K: Koreanische Mode hatte noch nie einen so guten Stand wie heute. Ehrlich gesagt gibt es im modernen Kontext nicht viele Referenzpunkte für koreanische Mode oder Einflüsse. Es kommt mir vor, als würden wir gerade damit anfangen, sie in einem modernen und globalen Kontext zu formen. Alle Designer hier formen dieses Narrativ.

iise.com
instagram @terrencetk @kevnkim @iiseseoul

FURTHER

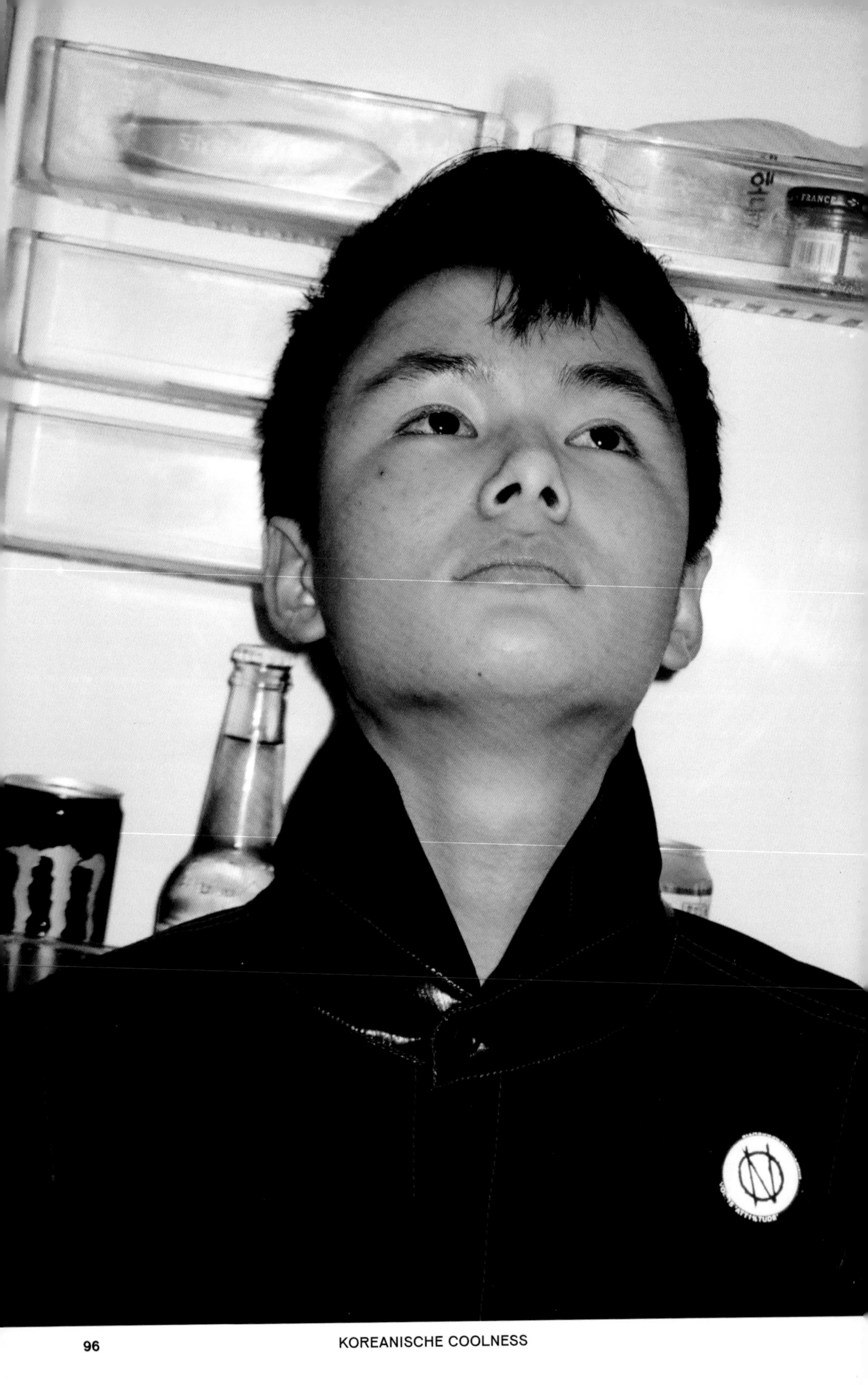

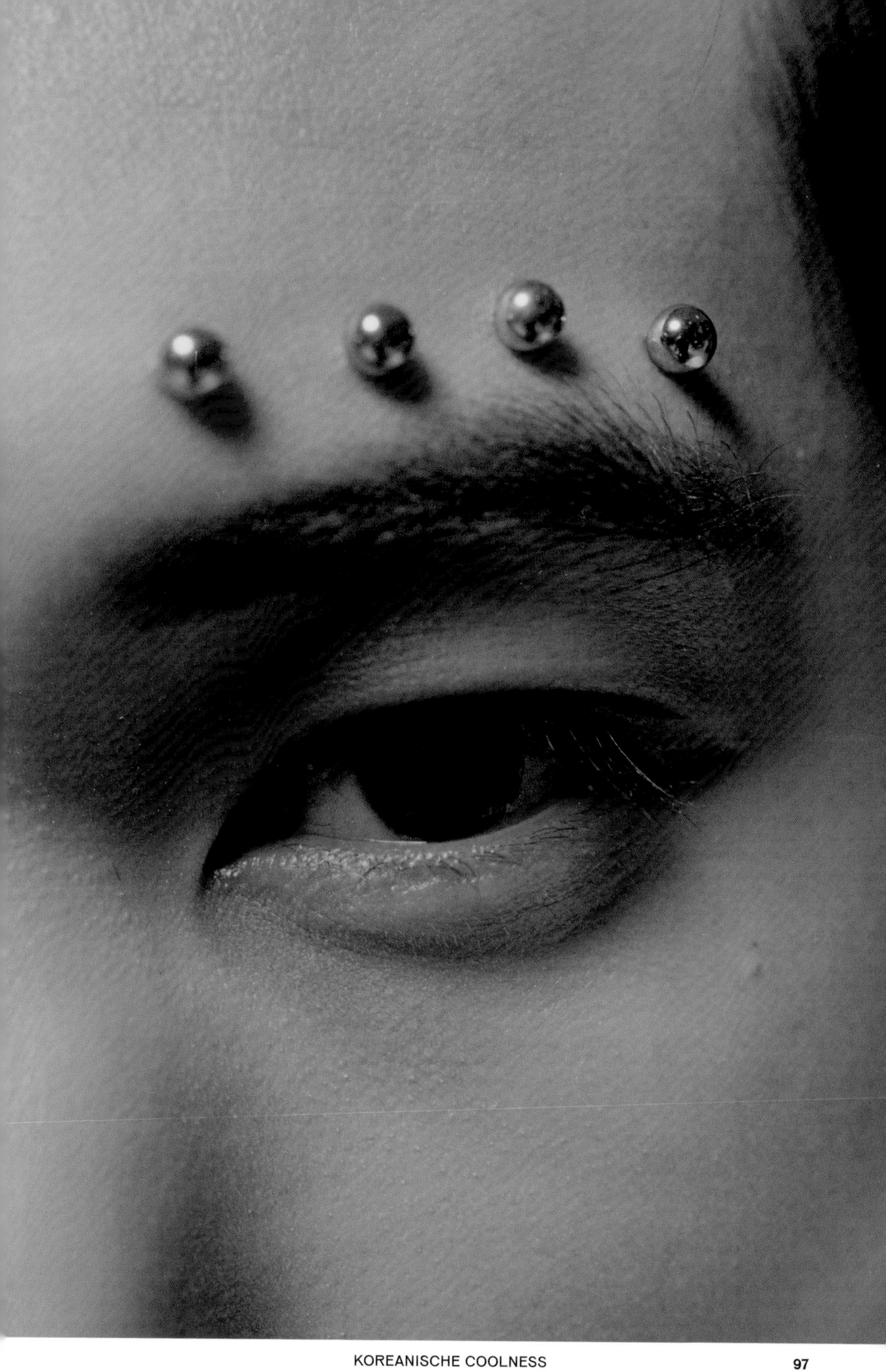

ON AIR

Lipton
Lipton
LAZZAT
SELLA
BASMATI
RICE
LAZZAT

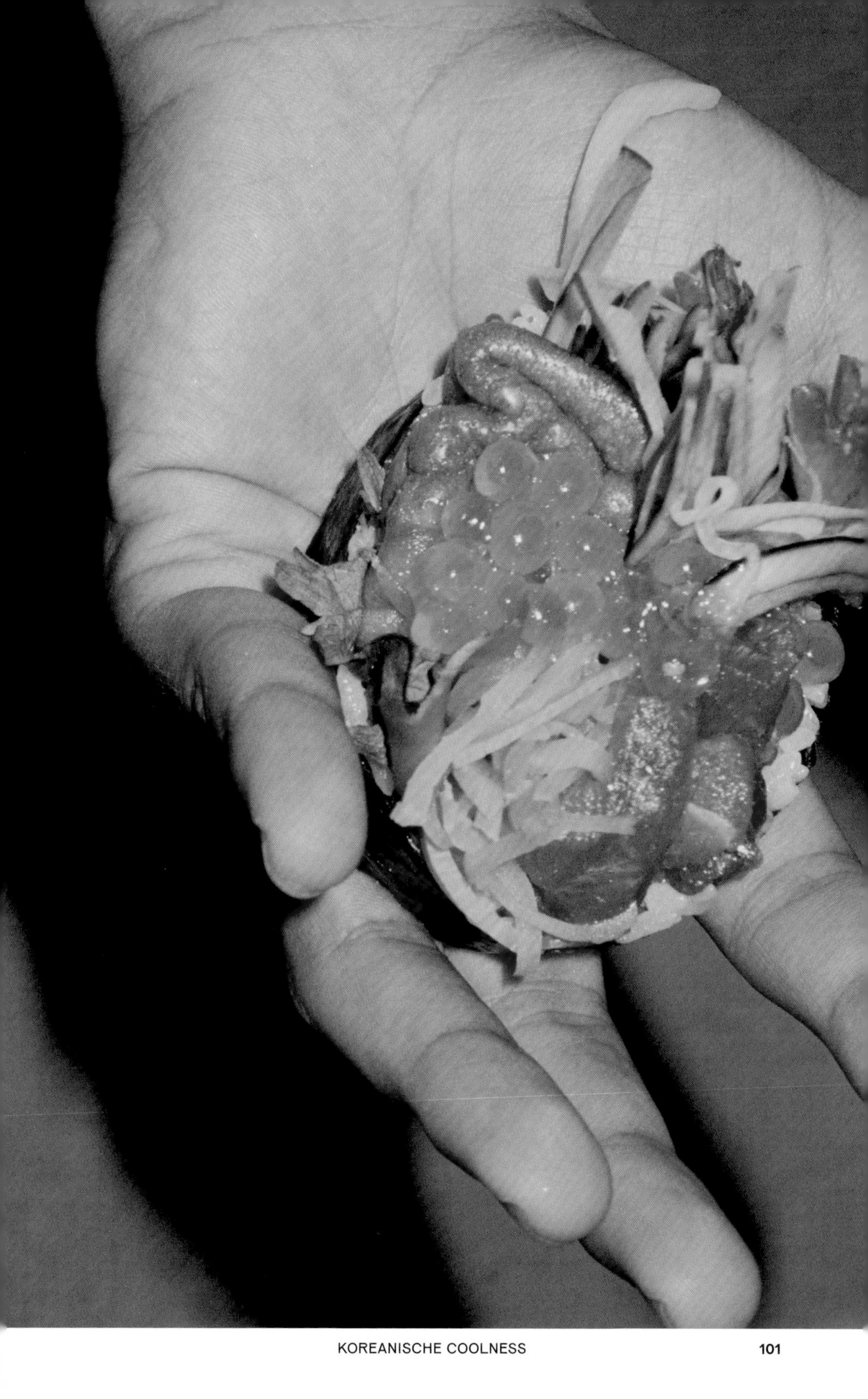

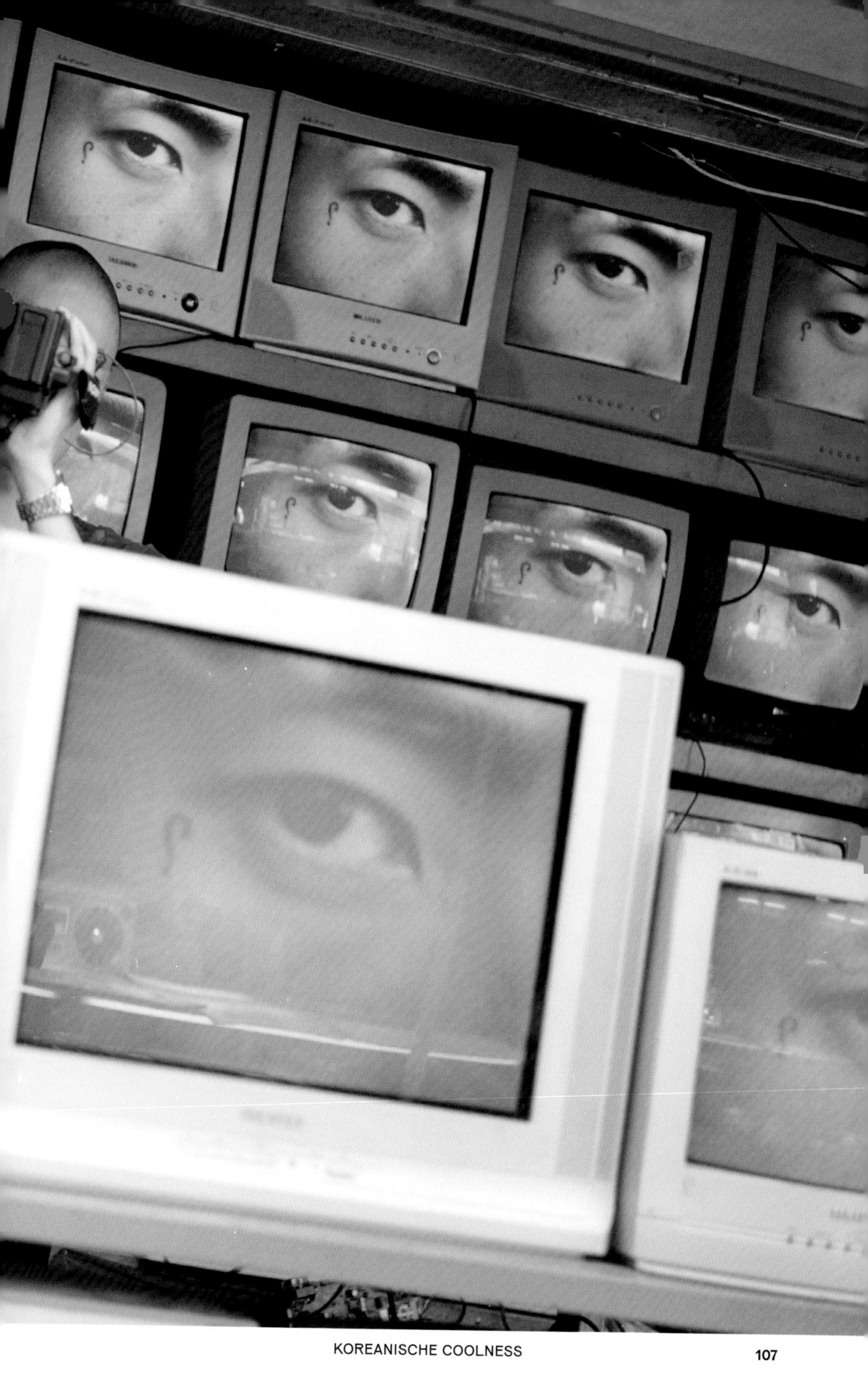

4.27.17

25 3:44

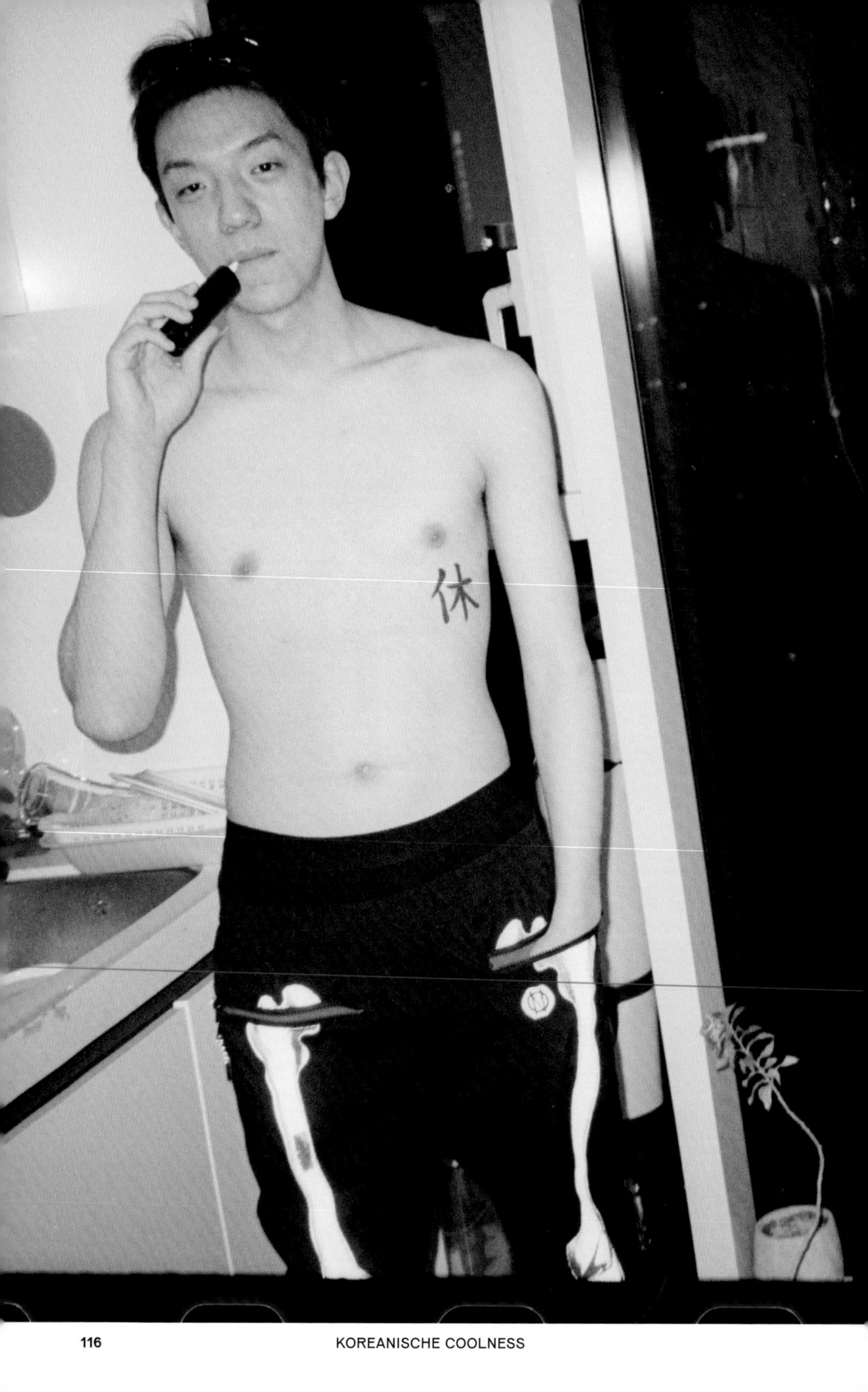
休

Nana Youngrong Kim
나나 영롱킴

Drag-Performer und YouTuber, der zum Wandel der Einstellung zur LGBTQ+-Community beiträgt

Stil und Einflüsse

Die ältere Generation der Drag-Performer inspiriert mich. Sie altern zusammen mit ihren treuen Fans, mit ihren Erinnerungen und Geschichten. Diese Vorstellung beflügelt mich.

Das Spektrum meiner zahlreichen Looks ist breit gefächert. Für ein Fotoshooting für *The Musical Magazine* verwandelte ich mich in Simba, die Freundin des Königs der Löwen. Für meinen typischen Stil trage ich Kleidung, die meine Tattoos und meine kurzen Haare betont, was bei koreanischen Drag-Künstlern ungewöhnlich ist. Für die Bühnenkostüme hole ich mir Anregungen bei Popdivas der 80er und 90er und füge dann noch etwas Einzigartiges für Nana hinzu.

Die meisten koreanischen Drag-Performer legen Wert da rauf, feminin zu wirken, und posten nur Fotos, auf denen sie komplett geschminkt sind. Ich scheue mich nicht, ohne Make-up in Erscheinung zu treten, und poste auch Bilder, die mich schwitzend im

Fitnessraum zeigen. Meine Drag-Kollegen mokieren sich darüber, weil sie das nicht machen können und neidisch sind. Pfffft!

Ein starkes Identitätsgefühl

Anstatt konsequent am typischen Drag-Make-up festzuhalten, experimentiere ich mit multidimensionalen, bildhaften oder grotesken Looks. Ich will nicht nur das machen, was als schön und beliebt gilt, und zeige mich deshalb auch mal als etwas Schräges, Böses, Tierhaftes oder Nicht-Menschliches — die Leute finden das gut. Als Byredo mich als Model engagierte, fand ich, dass die Kosmetika-Verpackung irgendwie frech aussah, und verkleidete mich deshalb als Verpackung.

Drag schockiert immer, also warum nicht mal etwas Neues ausprobieren? Natürlich sind die Reaktionen des Publikums wichtig. Berühmt zu sein finde ich gut, weil die Leute dann einfach mehr akzeptieren, aber es wird auch immer eine Herausforderung bleiben.

Drag und gewandelte Einstellungen gegenüber LGBTQ+ in Korea

Als ich als Drag-Künstler begann, hatte ich keine Möglichkeiten, Werbung für mich zu machen. Ich ging als normaler Besucher verkleidet in die Clubs, um Arbeit zu suchen. „Ich könnte das Lokal auf theatralische Weise betreten, um die Stimmung zu heben", sagte ich zu den Geschäftsführern. Dank YouTube und Instagram kann ich mich heute selbst vertreten, mein Talent zeigen und Grenzen austesten. Dadurch, dass ich auf YouTube Nana TV lancierte und Untertitel in Englisch, Japanisch und Portugiesisch (für brasilianische Fans) einfügte, baute ich mir in kurzer Zeit eine Fangemeinde in Übersee auf.

Mein fester Freund verließ mich, als er herausfand, dass ich mit dem Drag angefangen hatte. Andere Schwule schimpften, wenn ich mein Drag-Outfit in den Clubs trug. Sie sind krampfhaft bemüht, nicht aufzufallen, und fürchteten, dass ein „lauter" Schwuler wie ich ihnen negative Aufmerksamkeit verschaffen und schaden könne. Die Mehrheit der koreanischen Homosexuellen hat sich noch nicht geoutet, und deshalb darf man ihre Geheimnisse nicht verraten. Inzwischen aber verabreden sich Jungs mit mir, weil ich Drag trage. Sie sind ganz wild darauf, in den Clubs Selfies mit mir zu machen.

Hera, eine führende koreanische Modemarke, bat mich 2020, an der Entwicklung einer Make-up-Linie mit begrenzter Auflage mitzuwirken. Bis dahin galt diese Firma als konservativ, und ich bin der erste LGBTQ+-Mensch, der mit ihnen zusammenarbeitet. Freunde, die sich noch nicht geoutet haben, erzählten mir, dass ihre Kolleginnen gern Nana TV anschauen und von mir schwärmen. Sie sind mir dankbar dafür, dass ich es geschafft habe, Schwulsein cool wirken zu lassen. Es ist mein Verdienst, dass sie sich weniger schämen und stolz auf sich sind. Heterosexuelle beginnen, unterschiedliche Ausdrucksformen von Sexualität und Geschlecht zu akzeptieren.

In Korea halten sich immer noch viele junge Leute an den gesellschaftlich akzeptierten Lebensweg, der darin besteht zu studieren, sich von den Eltern unterstützen zu lassen, eine Arbeit zu finden und in einem bestimmten Alter zu heiraten. Sie sind nicht verwegen genug, um Risiken einzugehen. Sie schätzen mich, weil ich stellvertretend für sie ihre Träume auslebe.

Die Entstehung des K-Styles

Anfang der 2000er-Jahre war Korea für die Ausländer einfach nur ein Land in der Nähe von Japan und China. Dank des K-Styles bekommen sie jetzt Lust, Korea zu besuchen. Die queeren Fans des K-Styles wurden auf das queere Leben hier neugierig und entdeckten mich durch K-Pop-Musikvideos. K-Beauty wurde bekannt, und Fans aus Übersee wollen wissen, warum meine Haut trotz der dicken

Schminke, die ich oft auflege, immer noch so glatt und rein ist. In mein Repertoire nehme ich gern koreanische Songs auf, weil ich auf diese Weise meine Shows um den K-Style bereichern kann.

Erwartungen für die Zukunft

Ich weigere mich, Pläne für die Zukunft zu machen. Wenn man sich ein endgültiges Ziel setzt und sich nur noch darauf konzentriert,

übersieht man viel Wertvolles, wie die Menschen im eigenen Umfeld. Ich bin an diesem Punkt angelangt, weil ich keinen Wert darauf legte, erfolgreich und berühmt zu werden. Ich habe einfach etwas Neues ausprobiert, weil ich dachte, es würde mir Spaß machen.

Koreanern ist der Aufstieg viel zu wichtig. Mir schreiben oft Jungs, die in der Schule Probleme haben. Ich antworte ihnen: „Verzweifle nicht! Du kannst auf deine eigene Art erfolgreich werden!“

instagram @nana_youngrongkim

Mischief 미스치프

Jieun Seo und Jiyoon Chung, Gründerinnen der Streetwear-Marke Mischief

Stil und Einflüsse

Anfangs ließen wir uns von Hip-Hop-Musikern der 90er mit Subkultur-Bezügen inspirieren, wie Mos Def, Souls of Mischief und The Pharcyde. Wir dachten, Koreanerinnen würden diese Looks interessant und neu interpretieren, doch das war nicht zufriedenstellend.

Im Grunde wollten wir Korea und Asien durch unseren eigenen Blick darstellen. Allmählich wagten wir es, Anregungen in unserer Umgebung und in allem Koreanischen zu suchen. Wir finden sogar das Denkmal für Admiral Yi Sun-sin auf der Gwanghwamun Plaza schick. Wir verwenden traditionelle Hanbok-Materialien und interpretierten Norigae-Anhänger neu, die traditionellen Hanbok-Accessoires.

Wir gingen oft zu Partys der DJ-Gruppe 360 Sounds und lernten dort viele Künstler kennen, sie trugen einiges zu Mischief bei. Auch Unterhaltungen mit Freunden, die in anderen Bereichen arbeiten, bringen uns auf witzige Ideen. Neulich wandten wir uns an Lim Kim, die wir wegen ihres Werdegangs und ihrer Persönlichkeit bewundern. Anlässlich des Frauentags schrieb sie einen Song für uns, und wir entwarfen Kleidung und Visuals und drehten ein Musikvideo.

Wir beide sind gern kreativ, ohne formelle Vorgaben. Wir sind selbstbewusst. Wir hatten keine Bedenken, Mischief zu gründen, ohne vorher Erfahrungen gesammelt oder im Ausland studiert zu haben. Allzu ernst zu sein oder in alles eine Bedeutung hineinzuinterpretieren, passt nicht zu uns. Wir sind gern optimistisch und wollen Spaß haben, und wir möchten uns direkt ausdrücken, ohne Metaphern. Egal, was wir tun, es sollte sich immer ganz natürlich anfühlen.

Wegen der rauen Ästhetik unserer Modelle, Visuals und Musik gelten wir als knallhart, doch unter der Oberfläche verbirgt sich eine Spur von Eleganz. Angefangen haben wir mit Freizeitmode mit klassischen Anklängen, der wir immer auch eine Prise Raffinesse zufügen.

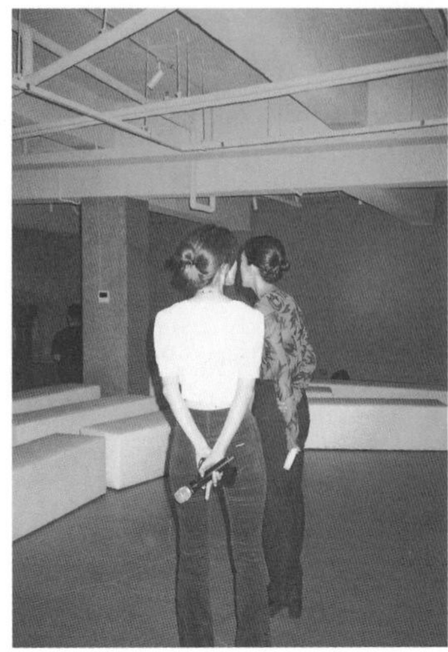

Das Label Mischief und seine Werte

Wir machen nur Kleidung, die wir auch gern selbst anziehen. Wir wünschen uns, dass coole, selbstbewusste, stolze Menschen unsere Marke tragen. Viele Frauen gestehen uns, dass sie deshalb unsere Modelle tragen. Wir investieren viel Energie in die Verbreitung unserer Kultur. Die Kunden sollen begreifen, was und warum wir das wollen.

Weil wir unsere Lieblingsmusik und -kleidung mit anderen teilen wollten, schrieben wir Passagen von Lieblingssongs auf unsere Modelle. Nach und nach kamen eigene Botschaften dazu. Wegen der Nachhaltigkeit lancieren wir nur Kollektionen und Produkte, die sinnvoll sind. Unsere ersten Produkte waren Taschen aus recycelter Kleidung. Wir arbeiten mit jungen Künstlern zusammen, um unsere bereits bestehenden Linien umzuarbeiten. So zeigen wir, dass eine Marke wie unsere achtsam ist und eine positive Wirkung haben kann.

Wir möchten eine koreanische Fehlinterpretation von Feminismus korrigieren. In der männlich dominierten Streetwear-Kultur fielen wir als Frauen auf und profitierten davon. Wir setzten nicht auf feminine Schwäche, sondern wollten als starke, coole Frauen erscheinen. Jedoch müssen wir über die immer noch bestehende Ungleichheit zwischen den Geschlechtern reden. Oft machen Menschen Fehler, weil sie es nicht besser wissen.

In Seoul leben und arbeiten

Seoul ist eine kleine Stadt, in der man so gut wie jeden treffen kann, den man treffen will. Es ist auch leicht, sich mit Menschen aus anderen Branchen anzufreunden. Überhaupt macht es Spaß, in Seoul zu leben und zu arbeiten. Leute, die unsere Stadt besuchen, amüsieren sich darüber, dass hier alle miteinander befreundet sind. Korea strebt nach internationaler Anerkennung. Die Leute hier finden, dass es dafür höchste Zeit ist, deshalb geben alle ihr Bestes.

Weibliche Subkultur-Szenen

In den letzten Jahren haben wir eine weibliche Crew zusammengestellt, um zu zeigen, dass es viele fantastische Frauen gibt, ob in der Musik, im Tanz oder Design. Lim Kim, Kyuhee Baik und die Dadaism Girls präsentieren faszinierende Arbeiten. Inzwischen sind in der Subkultur mehr junge Frauen als Männer aktiv, und sie sind untereinander solidarisch. Sie wollen eine klar definierte weibliche Identität zum Ausdruck bringen. Dadurch wecken sie auch die Aufmerksamkeit junger Frauen, die sich bisher nicht für Subkultur interessierten.

Musik

Musik vervollständigt unsere Arbeit, indem sie die Stimmung dazu liefert. Wenn man ein feminines Kleid mit Hardcore-Hip-Hop-Musik kombiniert, verändert es seinen Charakter. Mischief steht für die Hip-Hop-Kultur. Uns gefällt die selbstbewusste Haltung der Leute, die Hip-Hop machen oder mögen. Wir engagieren keine professionellen Models, sondern arbeiten mit Freunden zusammen. Bei Shootings sagen wir: „Bring deine Hip-Hop-Einstellung mit ein." Sie sollen nicht einfach unsere Teile hübsch darstellen, sondern sich selbst zeigen.

Die Entstehung des K-Styles

Pioniere wie 360 Sounds bauten mithilfe von Musik in der Subkultur coole Communitys auf. Sie sind ein Kollektiv von DJs, dem aber auch Fotografen, Skateboarder und Rapper angehören, und sie veranstalteten die coolsten Partys der Stadt. Besucher aus New York oder London waren überrascht, in Seoul derartige Partys zu erleben.

Junge Leute sind sehr offen, und es fällt ihnen leichter, Ideen umzusetzen. Wir dachten immer, dass wir alles sehr gut vorbereiten müssen, bevor wir es vorstellen. Durch die sozialen Netzwerke ist es leicht, kleine selbst gemachte Dinge sofort zu präsentieren.

Eine starke Subkultur trägt dazu bei, den Mainstream des K-Styles voranzutreiben. Junge Produzenten beflügeln den K-Pop. Früher trugen die Stars nur dann Mischief, wenn sie von Stylisten ausgewählt wurden, die der Subkultur zugetan waren. Jetzt suchen die Stars zunehmend selbst unsere Modelle aus, und wir kooperieren stärker mit ihnen. Dass Mainstream-K-Pop nach etwas Neuem und Coolem sucht, ist eine natürliche Entwicklung, die dazu beiträgt, dass Grenzen zwischen Subkultur und Mainstream verschwimmen.

K-Pop hat den koreanischen Stil international bekannt gemacht. Viele unserer ausländischen Fans sind an der K-Kultur interessiert. Es ist ein bisschen albern, überall ein „K" voranzustellen, aber es ist eben zu einer Art Markenzeichen geworden. Es wäre cool, wenn man uns als Vertreter des koreanischen Stils ansehen würde. Unsere größten Fans in Übersee sind Japaner. Früher hieß es, Tokio sei Seoul in Sachen Mode weit voraus. Mittlerweile ist es für uns ein großes Plus, aus Korea zu sein.

mischief.co.kr
instagram @mischiefmakers

Kyuhee 백규희 Baik

Geschäftsführerin von Stüssy Korea und Director of Strategy von Hyein Seo

Stil und Einflüsse

Im Lauf der letzten zehn Jahre beobachtete ich verschiedene Subkultur-Gruppen, die mein Stilempfinden beeinflussten und zu denen ich mich auch zugehörig fühlte. Meine kulturelle Umgebung spiegelt sich in meinem Stil wider. Eine wichtige Rolle spielte dabei Musik, besonders diese, die ich in meiner Jugend in Clubs und Nachtlokalen hörte. Viele Freundschaften stammen aus der Zeit, in der ich kurz nach meinem Umzug nach Seoul oft in Clubs unterwegs war.

Bei meinem Stil geht es in erster Linie um Bequemlichkeit. Wenn meine Sachen nicht bequem sind, fühle ich mich fremd in meiner Haut. Ich arbeite auch nicht mit Marken, zu denen ich keine Beziehung herstellen kann. Ich hatte immer das Glück, mit Marken zusammenarbeiten zu können, die meinen persönlichen Interessen stilistisch und auch kulturell nahekommen.

Meine Arbeit hat sich aus meinem Kulturanthropologiestudium ergeben und aus meiner Begabung, Menschen zu beobachten und zu verstehen. Ich kam nach Seoul, um kreatives Verhalten in Hip-Hop-Clubs zu beobachten. Ich sah, wie deren Besucher soziale Regeln missachteten oder veränderten, um sich auszudrücken, und wie sie später auf dieser Basis Beziehungen knüpften. Aus Kontakten, die in Underground-Clubs entstanden, ergaben sich für mich viele berufliche

Chancen. Andere Menschen mit denselben Interessen kennenzulernen schuf ein Vertrauen, auf dem ich aufbauen konnte, um eine Marke weiterzuentwickeln und eine Kultur zu verstehen.

In Seoul leben und arbeiten

In Seoul herrscht ein atemloses Tempo, das einen zwingt, stets informiert zu bleiben. Die Medien sind mitverantwortlich für den beschleunigten Kulturkonsum, der das Fernsehen ebenso betrifft wie soziale Netzwerke, Kurznachrichten und Apps. Das erzeugt einen hohen Druck. Wenn man nicht ständig auf dem Laufenden bleibt, wird man rasch abgehängt, und deshalb ist man praktisch gezwungen, die ganze Zeit mit allem verbunden zu bleiben.

Die Entstehung des K-Styles

Dank seiner starken digitalen Vernetzung wurde Seoul allmählich zu einem Global Player in vielen Branchen, ob Film, Kosmetik, Musik, Mode oder Gastronomie. Durch die Schwerpunktverlagerung der modernen Märkte (und infolgedessen der kulturellen Einflüsse) von West nach Ost gibt es ein gesteigertes Interesse an Asien.

K-Style schwimmt im Fahrwasser der Kommerzialisierung der koreanischen Kultur. Um diese für das breitere Publikum zu definieren, bürgerte es sich ein, vor die Namen verschiedener Industriezweige ein „K“ zu setzen. Ich glaube nicht, dass es spezielle Parameter gibt, um den K-Style zu definieren. Es ist derzeit einfach nur so, dass ein Trend oder Look globales Interesse weckt, wenn er aus Korea kommt. Nehmen wir als Beispiel K-Beauty und das „Korean 10-Step Beauty Manual“: Die Erhaltung eines perfekten Teints ist eine altbewährte Praxis, die in den letzten Jahren globale Aufmerksamkeit erzielte. Wer hat heutzutage noch keine Tuchmaske ausprobiert?

Wie andere Massenkulturen wurzelt auch der K-Style in der Subkultur. Der K-Pop entwickelte sich aus der Underground-Club-

Kultur der späten 80er. Damals gab es im Seouler Ausländerviertel Itaewon eine Art Breakdance-Insel, es waren Clubs für die US-Soldaten. Hier gelangte die Hip-Hop-Subkultur in die koreanische Massenkultur: Einige Breakdancer traten der Gruppe Seo Taiji and Boys bei, die heute als ein Pionier des K-Pops gilt. Manche wurden später K-Pop-Mogule, und einer gründete YG Entertainment.

Club-Kultur

Der Soziologe Dirk Hebdige definiert eine Subkultur als „eine Subversion gegen die Normalität, [die] gleichgesinnte Individuen [zusammenbringt], um ein Identitätsgefühl zu entwickeln".

Ein Club ist anders als die alltägliche Umgebung. Die anziehend spontane Atmosphäre entsteht durch die darin agierenden Individuen. In einem Club trägt man andere Kleidung als im Alltag, die schwache Beleuchtung ermutigt dazu, mehr Haut zu zeigen oder mehr Make-up aufzutragen. Manche Besucher kleiden sich besonders exzentrisch oder provokant. Die Stammgäste haben vermutlich einen ähnlichen Musikgeschmack oder Kleidungsstil. Viele Club-Besucher bevorzugen

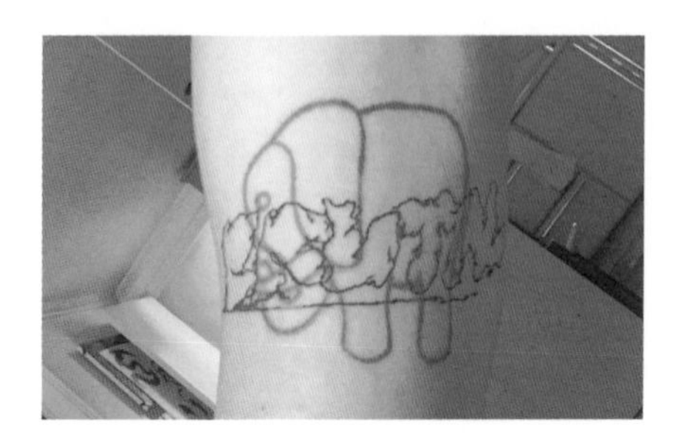

einen unkonventionellen Stil, und die Erfahrung, mit ähnlich Gesinnten zusammen zu sein, erzeugt ein Gefühl der Geborgenheit. Die Clubszene ist voller Energie und Ausdruck. Menschen können sich dort frei von sozialen Normen und Druck fühlen.

Der Konsum von Subkultur

Besonders in jüngerer Zeit zeigen koreanische Jugendliche gern Außergewöhnliches, um sich der Konformität zu entziehen. Während früher Massenmedien wie das Fernsehen den Geschmack und Stil des breiten Publikums definierten, schufen die sozialen Medien – insbesondere Instagram – eine demokratischere Bühne, auf der man sich selbst ausdrücken und Verbindungen aufbauen kann. Selbst kleinste Ansätze im Unterlaufen der Massenkultur können durch soziale Netzwerke aufgegriffen und verbreitet werden. Koreanische Jugendliche sind sehr internet-erfahren und ständig online, das ermöglicht es ihnen, Kultur unmittelbar zu konsumieren und zu produzieren.

Die Subkultur ist einem großen Wandel unterworfen, da sie nun in den sozialen Netzwerken stets präsent ist. Diese können ein

Forum für Menschen mit ähnlichen Interessen darstellen, gleichzeitig aber schwächen und banalisieren die Netzwerke diese einzigartigen Verbindungen. Das rasende Tempo, in dem Subkulturen durch diese unkontrollierbare Zurschaustellung kommerzialisiert werden, kann die Subkulturen rasch zerstören. Allerdings verläuft der Prozess zyklisch, denn gleichzeitig generiert dies laufend neue Facetten der Subkultur.

instagram @floss_everyday

„*Monocle* ist schon lange vom koreanischen Stil fasziniert, von der Kraft und Wirkung der Musik und Technologie, die die experimentierfreudige koreanische Jugend gestaltet. Doch K-Style ist mehr: Engagement und Erfindungsreichtum in allen Bevölkerungsgruppen. Man erkennt die einzelnen Elemente deutlich, doch das wirklich Erstaunliche ergibt sich aus ihrem Zusammenspiel."

— Andrew Tuck, Chefredakteur, *Monocle*

함께 일하실분 女
구함
(H) 010-9017-9418
VIP BAR
GJEY

단로14길
an-ro 14-gil
4
에스원
SECOM
DEAD
MAN
CALLING
GIK

위험
높이4.5M
CCTV 촬영중

1←34 뚝섬로1가길
Ttukseom-ro 1ga-gil
WORK
SHOP

28

J PALACE2F
MOVE
HELIOS
30

Te 양태오 Yang

Asiens führender Interiordesigner

Stil und Einflüsse

Meine Vorbilder sind der Künstler Lee Ufan und die Architekten Choi Wook und Seung H-Sang. Der Kritiker Choi Bum beeinflusste meine Designphilosophie. Von ihm lernte ich, dass Designer die Zukunft gestalten und deshalb achtsam, verantwortungsvoll und autonom sein sollten. Er zeigte mir, wo ich stehe und wo das koreanische Design.

Mein persönlicher Stil beeinflusst meine Arbeit stark. Ich lese viel, um informiert zu sein, aber ich kleide mich nicht trendig, denn meine Arbeiten könnten dadurch trendy werden. Ich trage Kleidung in Schwarz und Grau und dazu die neuesten Sneakers von Virgil Abloh.

Um in meiner Branche originell sein zu können, muss man sie sehr gut kennen. Die Leute ahmen ständig nach und entfernen sich so immer weiter von Originalität und kreativer Identität. Durch ein intensives Studium und die Verinnerlichung des Erlernten konnte ich meinen eigenen Stil entwickeln. Es ist aufwendig, Wissen in ein Konzept und ein Projektziel zu verwandeln und die richtigen Worte zu finden, um es Mitarbeitern und Kunden zu vermitteln.

In Seoul leben und arbeiten

Durch seine dichte Besiedlung wurde Seoul zu einer Arena, in der die vielen Menschen die Entwicklung und Innovation von Neuem vorantreiben, durch geistige und visuelle Beiträge. In dieser Atmosphäre können sich Designer nicht ausruhen. Wenn man einfach nur etwas Hübsches präsentiert, wird man von den anderen überholt und kann bald nur noch kommerzielle Arbeiten abliefern, der Abfall von morgen.

Seoul zwingt einen dazu, immer auf der Suche nach etwas Originellem zu sein und gleichzeitig gegen die Flut von Trends und kommerziellen Erfolgen anzukämpfen. Seoul erlebte eine von äußeren Kräften gesteuerte Modernisierung, die große Lücken und Leerstellen hinterließ. Für Designer ist es ein Privileg, diese füllen zu dürfen.

Koreanische Tradition und Ästhetik mit modernem Design verbinden

Nach meinem Auslandsstudium kehrte ich nach Korea zurück und gründete ein eigenes Atelier; zu der Zeit entwarf ich hübsche Räume, die den Kunden gefielen. Das änderte sich nach meinem Umzug in ein traditionelles Haus, ein Hanok, in Seouls ältestem Viertel Bukchon. Ich war von der Weisheit und Schönheit koreanischer Tradition beeindruckt, die in mir eine große Neugier auf den traditionellen Stil entfachten. Ich erlebte, wie Hanoks in Mode kamen, gleichzeitig aber modernen kommerziellen Gebäuden Platz machen mussten.

Dies brachte mich dazu, unser kulturelles Erbe modern zu reinterpretieren. Überzeugt von den neuen Erkenntnissen, hörte ich auf, nur hübsche Räume zu gestalten, und legte eine Mappe an, um meine Vorstellungen zu veranschaulichen. Der Plan war, die Ästhetik der Joseon-Dynastie auf zeitgenössische Art zu vermitteln und einen neuen K-Style einzuführen, der sich auf das Wesen und den geistigen Aspekt des Architektonischen konzentrierte.

„Mu-mee" kann mit „jenseits von Geschmack" übersetzt werden. Es geht über alle Stile hinaus und befasst sich mit dem Kern. Seinen Ausdruck fand es in weißen Mondkrügen aus Porzellan und in den kargen Räumen der konfuzianischen Akademie Dosan Seowon. Durch unsere auf Mu-mee aufbauende Möbellinie schaffen wir eine Synthese von anspruchsvollem Handwerk und schlichtem Design.

Unsere Sitzmöbel beziehen wir mit Nubim, ein traditionell für Laken verwendeter Baumwollstoff. Anstatt Traditionen als Bürde zu sehen, eignen wir sie uns an, für einen neuen, luxuriösen Lebensstil.

Die Entstehung des K-Styles

Angesichts der dichten Besiedlung ist es kein Wunder, dass in Seoul ein starker Konkurrenzkampf herrscht. Infolge der raschen wirtschaftlichen Entwicklung verschob sich dabei der Fokus in die Kulturszene. Es ist zwiespältig, dass man sich Designkonzepte einfach so in den sozialen Medien anschauen kann. Die Designer sollten aufhören, sich gegenseitig mit tollen Kreationen zu übertrumpfen, sondern Haltung zeigen, dafür eintreten und Probleme lösen. Der Aufstieg des K-Styles ging langsam vonstatten, ähnlich wie bei der Kunstbewegung Dansaekhwa in den 70ern und 80ern, die international bekannt war.

K-Style ist noch jung und auf der Suche nach seiner Identität. Er gehört zu uns, gleichzeitig weckt er internationales Interesse. Dabei eine Balance zwischen Tradition und Moderne, Passivem und Aktivem zu finden wird den K-Style besser verankern. Vor allem heute, wo sich immer mehr Designer auf ihre Grundwerte konzentrieren und sich mit den sozialen Dimensionen von Design beschäftigen.

Die Hautpflegemarke EATH LIBRARY

Ich wollte mich mit etwas befassen, das im K-Style noch gefehlt hat. Zwar haftet der K-Beauty etwas Geheimnisvolles an, doch gleichzeitig assoziiert man damit auch schnelle Ergebnisse und niedrige Preise. Dabei verkörpert sie doch so etwas wie das Wesen der koreanischen

Medizin und der heiteren koreanischen Lebenseinstellung. Die traditionelle koreanische Medizin heilt die Menschen durch den Geist, das Essenzielle und eine naturnahe Lebensweise. Als Kind besuchte ich einmal eine traditionelle Klinik, die auf mich wie eine kleine warme Bibliothek voller alter Bücher wirkte, durchzogen vom zarten Aroma von Kräutertee. Deshalb schuf ich einen Ausstellungsraum, in dem sich die Leute in der Stadt bei Tee und Musik entspannen können.

Die Wegwerf-Tuchmasken, die K-Beauty weltweit berühmt machten, erachten wir als umweltschädlich. Viele Kunden bevorzugen unsere Nachtmaske, weil bei ihr kein Abfall entsteht. Wir berücksichtigen das sich ändernde Konsumentenverhalten, das fühlt sich gut an.

Und was kommt als Nächstes?

Die Neuinterpretation koreanischer Ästhetik stellte für mich einen ersten Schritt dar. Der nächste besteht darin, eine internationale Sprache zu kreieren. Ich beschäftige mich mit Zeitreisen, um eine neue Parfumlinie zu entwickeln. Das Konzept besteht darin, Augenblicke und Zeit mithilfe von Düften einzufangen.

teoyangstudio.com
instagram @teoyang

Kwang이광호Lee

Künstler und Designer, Pionier für koreanische Sammlerobjekte

Stil und Einflüsse

Früher ließ ich mich von meinen Lieblingskünstlern beeinflussen. Heute inspirieren mich vor allem meine Umgebung, meine Familie und meine Freunde. Ich lernte, Menschen zu schätzen, die in ihrer Arbeit konsequent sind. Als ich Vater wurde, veränderte sich mein Schwerpunkt, und ich interessierte mich stärker für das ehrliche, authentische Leben, was auch gut zu meiner Arbeit passt.

Mein persönlicher Kleidungsstil zeichnet sich durch das Tragen von Schmuck und Brillen mit dickem Rahmen aus. Mittlerweile besitze ich weniger dekorative Gegenstände, da ich mich von Materiellem befreien möchte. Ich trage gern bequeme Outfits in lebhaften Farben und aus ausdrucksstarken Materialien oder aber alte Kleidung, die auf das Verstreichen der Zeit hinweist. An Installationstagen trage ich Arbeitskleidung, doch eigentlich bleibe ich meinem Stil stets treu.

Ich mag „Schlichtheit mit Komplexität“. Die Authentizität und die Energie des Materials ist erst zu sehen, wenn man näherkommt.

Neugier steht am Anfang meiner Arbeit. Ich experimentiere viel, um die richtige Form, die Proportionen und die Nutzung des jeweiligen Materials herauszufinden. Deshalb sind alle Arbeiten in meinen Ausstellungen Teil einer Serie. Meine Webarbeiten sind das Ergebnis von 15 Jahren des Experimentierens.

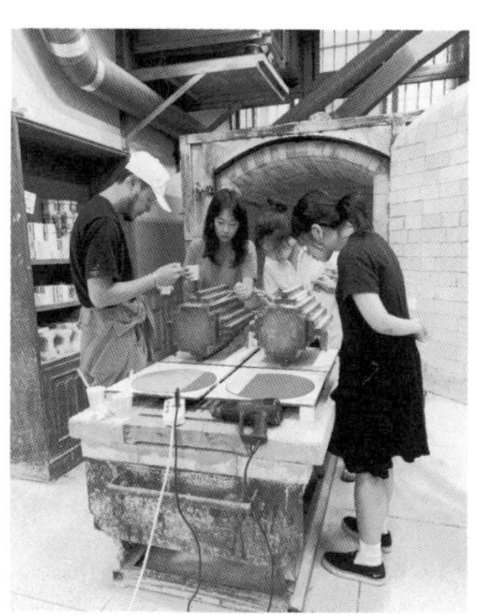

Das Leben in Seoul und der Umzug auf die Insel Jejudo

Ich bin durch und durch Koreaner. Ich wuchs auf dem Land in der Nähe von Seoul auf und habe den Urbanisierungsprozess miterlebt. Manche Freunde sind sehr koreanisch, und die Beziehungen zu ihnen haben meinen Charakter geprägt. Jetzt, wo ich auf der Insel Jejudo wohne und der Natur nähergekommen bin, werde ich das wahre Korea noch unmittelbarer erleben. Durch Kurzreisen nach Übersee nehme ich mein Heimatland intensiver wahr. Bei der Rückkehr fühle ich mich erst richtig zu Hause. Dabei entdecke ich wunderbare Dinge, die mir davor so vertraut waren, dass ich sie gar nicht bemerkte.

Die Entstehung des K-Styles

Ein neues Selbstvertrauen, das mit dem koreanischen Bestreben zusammenwirkt, immer alles noch besser zu machen, zeigt Wirkung. Als ich mein Atelier gründete, dachten alle, man müsse zuerst auf eine Kunsthochschule gehen und dann im Ausland studieren und arbeiten. Jetzt werden junge Leute einfach so Künstler.

Heute kann man auch seine Arbeiten gleich ausstellen. Unter befreundeten Designern nennen wir es die „koreanische Explosion". Oft werden wir, sobald wir etwas präsentiert haben, nach Übersee eingeladen. Junge Leute bilden Gruppen mit Freunden aus der Musik- und der Modeszene. Ich konnte ein großformatiges Projekt umsetzen, indem ich befreundete Architekten und Innenarchitekten hinzuholte.

Ich finde es schwierig zu erklären, was K-Style genau ist. Das Timing hat vermutlich in vielen Bereichen gestimmt, aber es ist unmöglich, das auseinanderzudividieren und im Einzelnen zu erklären.

Für meinen Bereich kann ich sagen, dass Koreaner in der Handwerkskunst hervorragend sind und ein gutes Gespür haben. Mithilfe des richtigen Timings und der Technologie konnten wir unsere Arbeit aktiver präsentieren. Koreaner lieben es, andere zu übertreffen und das dann herauszustellen. Wir hängen an unseren Läden größere Schilder auf, bauen unser Geschäft schnell durch Franchising aus und gieren nach Anerkennung. All das führte zu einem explosiven Wandel.

Koreanische Ästhetik in der eigenen Arbeit

Wenn für mich ausländische Standards eine Rolle gespielt hätten, dann hätte ich das „Koreanisch-sein" stärker hervorgehoben, doch das wollte ich nie. Weder repräsentiere ich Korea, noch bringe ich es gezielt in meine Arbeit ein. Zu behaupten, dass ich das tue, würde mir das Gefühl geben, unehrlich und nicht authentisch zu sein. Aber ich kann guten Gewissens sagen, dass Korea tief in mir verankert ist.

Das neue kulturelle Selbstbewusstsein junger Koreaner

Bevor es die sozialen Netzwerke gab, bekamen wir nicht mit, wie sich Gleichaltrige entwickelten. Die fantastische Ausstellung eines berühmten ausländischen vierzigjährigen Designers verriet nichts über die Fehler, die er mit zwanzig machte, und auch nichts über die Schwierigkeiten, die er als junger Künstler zu überwinden hatte. Wir standen vor den Endergebnissen, ohne über etwas über den

Schaffensprozess zu wissen. Heute aber sehen die Menschen, was Gleichaltrige in fernen Ländern machen, und erfahren, dass alle unter ähnlichen Bedingungen arbeiten. Das führt zu der Erkenntnis, dass die eigenen Arbeiten nicht so schlecht sind, dass man sie nicht vorzeigen könnte. Das alles ermutigt junge Leute, sich aktiver auf den verschiedenen Gebieten auszuprobieren.

Arbeiten in Seongsu-dong und der dortige Wandel

Ich erlebte mit, wie Seongsu-dong, mein Viertel in Seoul, cool und elegant wurde, indem es rasch ausländische, insbesondere japanische, Einflüsse aufnahm. Meiner Ansicht nach ähnelt die Entstehung des K-Styles der Verwandlung von Seongsu.

Die Umwandlung von Fabriken, das alte Fundament von Koreas Modernisierung, in hippe Veranstaltungsorte erzeugte viel Wirbel. Seongsus einzigartiges Gespür für die Vermischung von Gegenwart und Vergangenheit zeigt uns sein Potenzial für die Zukunft. Das Zentrum großer Unterhaltungsfirmen verschob sich von Gangnam hierher, und Seongsu macht auf den Gebieten Wirtschaft, Kunst und Design

laufend weitere Veränderungen durch. Mit dem K-Style geschieht genau dasselbe. Wenn in Korea ein bestimmtes Stadtgebiet hip wird, neigen andere Viertel und sogar andere Städte dazu, schamlos den Namen und die Atmosphäre der Straßen zu kopieren, und beteuern, einen ganz anderen Charakter als den tatsächlichen zu besitzen. Deshalb glaube ich, dass der K-Style ebenso wie Seongsu etwas Besonderes, Eigenes hervorbringen muss, um gedeihen zu können.

Das Konzept des „Hochregelns“ macht mir Sorgen. Die meisten möchten Design verbessern, weil sie viel gesehen haben und die Konkurrenz übertreffen wollen. Weiter gehen sie nicht. 2021 waren das Bauhaus und Wassily-Stühle so beliebt, dass alle coolen Cafés und Läden in Seongsu gleich aussahen. Um besonders zu wirken, sollten Räume aber etwas beinhalten, das über das Offensichtliche hinausgeht.

Synergie kann nur dann entstehen, wenn es genügend Orte mit einem besonderen Konzept und einer interessanten Geschichte gibt. Wenn mehr Menschen ihre Grenzen austesten, wird der K-Style sich auf mehr Themenbereiche ausweiten können.

Nur wenn etwas die Erwartungen des Publikums übertrifft und denen, die dafür empfänglich sind, ein aufregendes Erlebnis ermöglicht, kann es wirklich bemerkenswert sein. In Japan stößt man auf ungewöhnliche Lokale und Läden in allen Größen, die oft in sehr unauffälligen Straßen liegen. Ich hoffe, dass der Seoul-Style und der Seongsu-Style ähnlich bekannt werden, wie es heute der Kyoto-Style und der Tokyo-Style sind.

kwangholee.com
instagram @kwangho_lee

Mingoo Kang 강민구

Der Koch, der in seinem Flagship-Restaurant Mingles die neue koreanische Küche präsentiert

Stil und Einflüsse

Vor nicht allzu langer Zeit wurde mir bewusst, dass ich mich mit der koreanischen Cuisine befassen sollte. Weil ich in Korea lebe und mir alles Koreanische deshalb so vertraut ist, dachte ich, ich könnte das Essen auf meine eigene Art zubereiten, doch da irrte ich mich. Durch die Arbeit im Ausland wurde mir klar, dass ich das koreanische Kochen von Grund auf erlernen musste.

Meine Lehrer waren der buddhistische Mönch Jeong Kwan und die Chefköchin Cho Hee-Sok (die 2020 die Auszeichnung „Asia's Best Female Chef" erhielt). Sie lehrte mich die Haltung eines koreanischen Küchenchefs, während mir Mönch Jeong die Welt des fermentierten Gemüses erschloss. Ich erfuhr, dass koreanisches Essen auch ohne ausländische Zutaten vielfältig und kreativ sein kann.

In meinem Restaurant respektieren wir die Wurzeln des koreanischen Essens, bereiten es aber mit heutiger Technologie und Achtsamkeit zu. Teammitglieder und Chef sind bestrebt, sich weiterzuentwickeln, sie arbeiten hart, experimentieren und halten mit dem Zeitgeist Schritt, das alles wirkt sich positiv auf unsere Identität aus.

Ich will nichts sonderlich Neues oder Ungewöhnliches kreieren, sondern koche das, was ich interessant und köstlich finde. Ich versuche, auf der Grundlage der koreanischen Küche etwas zu schaffen, das noch nicht ausprobiert wurde. Vielleicht kommen deshalb die Gerichte von Mingles den Gästen zugleich neu und vertraut vor.

In Seoul leben und arbeiten

Anfangs träumte ich davon, ein Restaurant in einer großen Stadt im Ausland zu eröffnen. Doch als die Welt kleiner und Seoul international attraktiver wurde, verspürte ich nicht mehr das Bedürfnis auszuwandern, um koreanisches Essen bekannter zu machen. Hier findet man sowohl genügend einheimische Fachkräfte als auch Kunden. Die koreanischen Zutaten sind verfügbar, und unsere Mitarbeiter sind mit der Kultur vertraut, beides macht Mingles zu etwas Besonderem. Außerdem stellte mein Lokal in Seoul eine gute Ausgangsbasis dar, um ein Restaurant in Hongkong zu eröffnen, das Hansik Goo.

Die Entstehung des K-Styles

Man kann K-Style in einer Zusammenfassung als zukunftsorientiert, mutig, trendig und wachstumsorientiert bezeichnen. Eine Vergangenheit voller Konflikte und rasches Wachstum brachten die Fortschrittlichkeit Koreas hervor.

Meiner Ansicht nach ist dies der Stil, der den Wandel in der Welt am besten spiegelt. Zwar ist Korea ein kleines Land, doch wurde es zu einem Testlabor für das, was weltweit als cool gilt, vielleicht, weil es ein gutes Gespür hat für globale Entwicklungen.

Die Vorzüge der koreanischen Küche

Das Wichtigste beim Kochen sind gute Zutaten. Ein Gericht, in dem der Geschmack guter Zutaten zur Geltung kommt, ist das eigentliche Ziel. Das ist bei der japanischen Cuisine der Fall: Es sollte nie zu viel hinzugefügt werden. Beim koreanischen Essen aber lassen sich durch Zugabe verschiedener Soßen und Gewürze wie Chili-Pfefferpaste, Sojabohnenpaste, Sojasoße und Knoblauch zahllose Kombinationen schaffen. Mit guten Zutaten kann ein Koch in der koreanischen Küche seinen eigenen Stil prägen.

Der Wandel in der Kochszene – die neue koreanische Küche

Als ich mit dem Kochen begann, sagte man mir oft, ich solle das kochen, was der Markt und die Kunden vorgaben, und nicht das, was ich wollte. Doch als ich 2013 Mingles gründete, fand die Nische, die ich für mich gefunden hatte, zunehmend Anklang. Inzwischen hat bei koreanischen Kunden die Freude an gutem Essen und die Akzeptanz neuer Esskulturen zugenommen. Koreas Cuisine entwickelte sich rasant, insbesondere im Bereich der zwanglosen Dining-Szene.

Die eigentliche Herausforderung bestand darin, dass ausgerechnet die Koreaner dieser neuen Art des Kochens kritisch und konservativ gegenüberstanden. Trotzdem war es erfüllend und amüsant, die Grenzen der koreanischen Cuisine auszuloten. Es ist zwar sinnvoll, Neues vorzustellen, doch war es wesentlich innovativer, das wieder einzuführen, was wir bereits hatten. Ich versuche, das auf den Tisch zu bringen, was besonders frisch und anregend ist.

Die Gründung von Hyodo Chicken – Imbiss für frittiertes Huhn

Ich schuf es gemeinsam mit meinem lieben Freund Shin Chang-ho vom Restaurant Joo Ok. Als Chefs gehobener Küchen, die nur jeweils einige wenige Gäste bekochen, wollten wir etwas kreieren, das unsere beiden Restaurants verbindet, das die Leute lieben und das ich mir auch öfters gönne. Ich glaube, dass Korea gut darin ist, fremde Kochkulturen zu mixen und an unseren Geschmack anzupassen. Wir wollten etwas, das dem echten Fried Chicken ähnelt, aber mit koreanischem Einschlag. Es besteht also ein deutlicher Unterschied zwischen Fried Chicken und KFC (Korean Fried Chicken).

Da das übliche frittierte Hähnchen in Korea meist aus industriellen Ausgangsprodukten hergestellt wird, ist es nicht unbedingt ein Gaumenschmaus. Unser frittiertes Hähnchen dagegen wird von erfahrenen Köchen zubereitet, ebenso wie die Soßen. Außerdem verwenden wir für dieses Gericht eher unübliche Zutaten wie grünen Pfeffer von hier, Anchovis und Lotuswurzeln. Vertraute und doch erfrischend originelle Speisen sind unser Markenzeichen.

Nahrung für die Seele

Koreanisches Essen ist Nahrung für die Seele, die auch zu gehobenen Anlässen passt. New Korean Dining basiert auf alltäglichen, doch mit einer Prise Raffinesse zubereiteten koreanischen Gerichten. Um die koreanische Cuisine zu ergründen, muss man daher wissen, dass sie als Küche für die Seele zu verstehen ist.

Wenn wir begreifen, dass Essen ein Bestandteil der Kultur ist, kann das Koch-Universum tiefgründiger und lebendiger werden.

restaurant-mingles.com
hansikgoo.hk
instagram @mingleseoul @hyodochicken

„Die Gültigkeit des Begriffs ‚K-Style' muss sich erst noch erweisen. Die Suche nach der eigenen Identität im Spannungsfeld zwischen Globalisierung und Lokalisierung kann auch die Geschichten anderer Kulturen bereichern."

— DJ Soulscape (Min Jun Park), Creative Director, Komponist, Produzent und Gründer von 360 Sounds

물류그룹

SAMSUNG
STEIN

SAMSUNG

puma

NINETY NINE

DISCO

2. 8.18

休

PUNK

RALPH LAUREN
NEW ORDER
FACT 50 1981
MOVEMENT
THE FASHION BOOK
PETER LINDBERGH
ROOM
FRANÇOIS HALARD
CHANEL

황Hwang Soyoon소윤

Solo-Musikerin und Leaderin der Rockband Sae So Neon

Ich mag Menschen, bei denen Arbeit und Erscheinung zusammenpassen. Es ist mir unverständlich, wie Leute dieselbe Kleidung tragen können wie alle anderen. Durch Mode kann man die eigene Persönlichkeit, seine Energie und seine Vorlieben zum Ausdruck bringen. Doch die meisten nutzen Mode nur, um anzugeben oder um als Mitglied einer Gruppe erkannt zu werden, und das finde ich langweilig.

Dagegen gefällt mir, wie sich ältere Menschen verhalten. Sie tragen nicht das, was der Mainstream diktiert, sondern ziehen an, wonach ihnen gerade ist: Sie stopfen sich die Jacke in die Hose, tragen darüber eine Weste, entscheiden sich für eigenwillige Farbkombinationen – und ihre Mode sieht sehr schick aus.

Mein Alltagsstil ist klar und schlicht und setzt sich aus farblich aufeinander abgestimmten Stücken, Jeans und Sneakers zusammen.

Als Musikerin wähle ich mein Outfit jeweils passend zu dem Song, der Situation und dem Bild von mir, das ich vermitteln will. Ich halte den Look neutral und kombiniere ihn mit Farben, die ich mag. Weil meine Arbeit auch mit Mode zu tun hat, achte ich auf frische wechselnde Stile, die auch zu meiner Vision passen. Ich kann mich sehr unauffällig oder auch atemberaubend kleiden. Fans bringen mich anscheinend mit Brillen und Gitarren in Verbindung. Ich sehe schlecht, aber ich trage auch deshalb Brillen, weil sie in den koreanischen Massenmedien nur selten gezeigt werden.

Als Creative Director wähle ich alle Visuals aus und kreiere die Atmosphäre bei Fotos und bei Musikvideos passend zu meinem Modestil. So, wie die Samen einer Pusteblume in alle Richtungen fliegen, fliegen auch die Ideen zu einem Song in viele Richtungen, bis sie Wurzeln schlagen und blühen können. Das Schreiben an sich

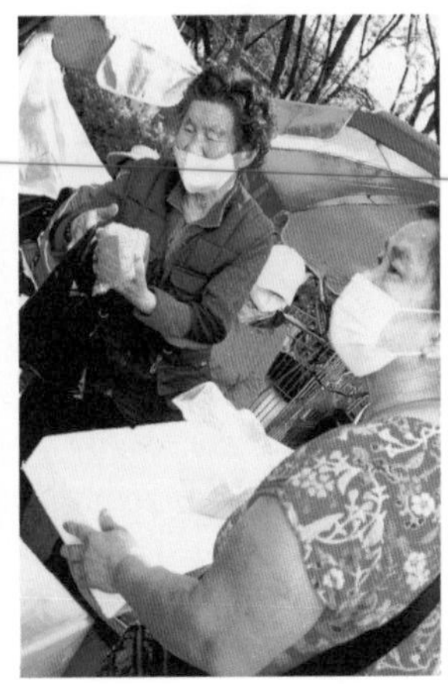

fällt mir leicht. Ich stelle mir die Atmosphäre vor, lasse mir dazu Empfindungen und Farben einfallen und bespreche das mit meinen Bandmitgliedern und dem Team. Ich folge meiner Intuition und erschaffe etwas mit diesen Menschen, so wird ein Song daraus.

In Seoul leben und arbeiten

Ich wuchs an einem Ort auf, an dem ich von Natur umgeben war, und lernte Seoul erst als Erwachsene kennen. Ich zähle zu der Minderheit, die hier nicht gern wohnt und sich nicht zugehörig fühlt. Seoul ist überhitzt, und das Tempo viel zu schnell. Ich werde gezwungen, brutale und ungerechte Dinge mitzuerleben. Ich kann sie nicht ignorieren, weil von mir als Künstlerin erwartet wird, aufmerksam zu sein. Seoul

ist für mich eine kalte Stadt, und das spiegelt sich in meiner Musik. Ich sehe die Einwanderer, die Alten, die Straßenhändler und Arbeiter, die alle an den Rand der Gesellschaft gedrängt werden. Menschen, die täglich um ihr Überleben kämpfen, trösten und inspirieren mich. Ich mag es nicht, in einem Mainstream-Stil zu singen, auch wenn diese Menschen vermutlich den wahren Mainstream darstellen.

Die Entstehung des K-Styles

Obwohl sich die Zeiten geändert haben und einst Verpöntes heute akzeptiert wird, fürchten die Leute die Meinung der anderen und sind nicht besonders wagemutig. Der Stil der Jugend kann weder als vielfältig noch als beeindruckend bezeichnet werden. Das Aufwachsen in einer engstirnigen Umgebung ist beengend. Aber es gibt kleine Fortschritte. Ein Parlamentsmitglied, das 2020 zu einer Sitzung in einem Kleid erschien, löste dadurch Diskussionen aus. In den 2010ern galt Queer Culture noch als peinlich, heute dagegen wird sie oft im TV thematisiert, auch wenn das noch nicht selbstverständlich ist.

Die Koreaner sind es nach wie vor nicht gewohnt, sich durch Mode auszudrücken. Die Kleidung für Arbeit und Büro muss unauffällig sein. Von der Massenkultur setzt sich K-Style meiner Meinung nach noch nicht wirklich ab. Er scheint nur von einem kleinen Kreis von K-Pop-Stars und Künstlern gepflegt zu werden.

Zwei Identitäten: Leaderin von Sae So Neon und Solomusikerin So! YoON!

Ihre Sprachen sind total verschieden. Sae So Neon schreibt mein Leben mit. Die Band ist anstrengend und hat Streitpotenzial, doch ich mag sie, weil sie so energiegeladen ist, wegen der Kameradschaft und weil wir miteinander viel Spaß haben. So! YoON! ist eine Erkundung, die ein neues Ich zutage fördern soll. Es ist mein Ventil für musikalische Sehnsüchte, die ich mit Sae So Neon nicht ausleben kann.

Als Bandleaderin in Korea

Ich möchte nicht zu einem Objekt gemacht werden. Ich drücke das aus, was ich will. Ich will so verstanden werden, wie ich bin. Ich fühlte mich erst weiblich, nachdem man mich zu Beginn meiner musikalischen Karriere Rockerin nannte. Schon als kleines Kind wollte ich zeigen, was sich hinter einer Bezeichnung, einem Etikett verbirgt. Meine weiblichen Fans sagen, dass ich ihnen Trost spende und Mut mache, ich habe begriffen, dass es cool ist, wenn ich sie in ihrem Frausein bestätige.

Koreanische Musikszene und Indie-Musiker

In Korea sind die Grenzen zwischen „Indie“ und „Major“ gefallen. Es ist schwer, als Indie-Musiker zu überleben, nur wenn die Kunst einen kommerziellen Wert hat, kommt man schnell „nach oben“. Anfangs spielten wir auf den kleinen Kellerbühnen in Hongdae. Doch irgendwann gingen die Leute nicht mehr in die Underground-Clubs, deshalb müssen die Bands heute kommerzieller sein. Wir übertreten Grenzen: Es war aufregend, als wir den Song „Jayu“ („Freiheit“) spielten, der als ungeeignet für eine Mainstream-TV-Show galt, in der vorwiegend

K-Pop-Stars auftraten. Menschen sollten ihren eigenen Rhythmus ausleben dürfen. Die Musikindustrie entwickelt sich zu schnell. Nicht alles ist machbar. Keiner meiner Lieblingsmusiker schaffte es in den Mainstream. Ich möchte Menschen überzeugen, ohne Kompromisse einzugehen. Anstatt Zusatzstoffe zu benutzen, damit alle mein Essen mögen, möchte ich köstliche Gerichte anbieten, die ich selbst mag.

Und was kommt als Nächstes?

Ich bin durch Zufall Musikerin geworden und halte mir alles offen. So schickte ich etwa Songs, die ich in der Highschool geschrieben habe, auf einem Demotape herum, um die Reaktion zu sehen. Vor Kurzem lancierte ich eine limitierte Glasartikelkollektion. Ich will natürliche, umweltfreundliche Kosmetika entwickeln. Schon immer finde ich, dass es Kunst in allen Bereichen geben kann, ob nun in der Musik oder in der Mode. Ich möchte mich unvoreingenommen weiterentwickeln.

instagram @sleeep_sheeep @se_so_neon

Pionier des K-Style-Tattoos und
Vorsitzender der koreanischen Tattoo-Gewerkschaft

Ich sammle Gemälde, Fotos, Mode- und Naturbilder, die zu meinem Tattoo-Stil passen. Ein Tattoo ist kein Bild, das man von der Wand nehmen und irgendwo lagern kann. Weil ein Tattoo für immer bei meinem Kunden bleibt, sind meine Themen Licht, Leben und Liebe.

Meine Herangehensweise ist dieselbe wie bei hoher Kunst, und deshalb verhalte ich mich wie ein Künstler, anstatt mich rockig oder hip zu geben. Die Art, in der ich mich kleide, in der ich spreche, gehe und arbeite, das alles fließt in jedes Tattoo ein. Ich finde es wichtig, einen einzigartigen Stil zu pflegen, anstatt einfach so wie der eigene Onkel oder der Typ von nebenan auszusehen.

Die menschliche Haut ist die Leinwand, für die ich mich entschieden habe, die Nadeln sind meine Pinsel, und die Tinte ist meine Farbe, mit diesen Materialien habe ich Grenzen gesprengt. Ich habe das „fine tattoo“ begründet, ein Begriff, den ich bei internationalen Tätowiererwettbewerben in Asien vorschlug, deren Jurys ich angehörte, und der sich mittlerweile eingebürgert hat.

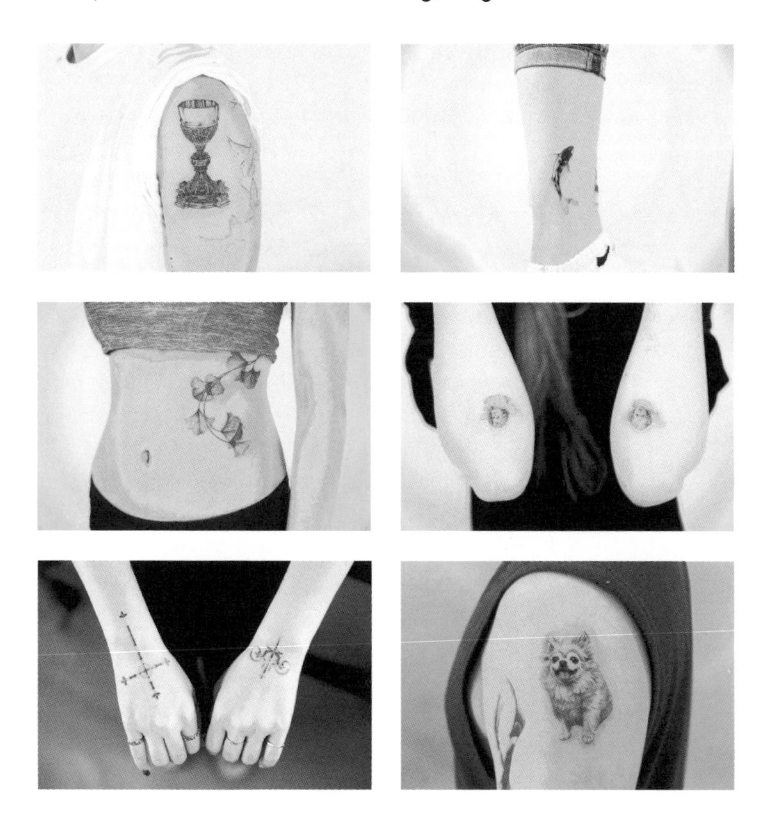

Herangehensweise

Man muss sich vorstellen können, was auf einem sich bewegenden Körper schön aussieht. Unsere Körper setzen sich aus großen und kleinen Formen zusammen, die sich in der Bewegung verändern. Tätowieren ist wesentlich komplizierter, als auf Papier zu zeichnen.

Es ist mir wichtig, mit dem Kunden zu interagieren, indem ich die Funktion und die Farbzusammenstellung des Designs bespreche. Das macht das Tattoo auch persönlicher.

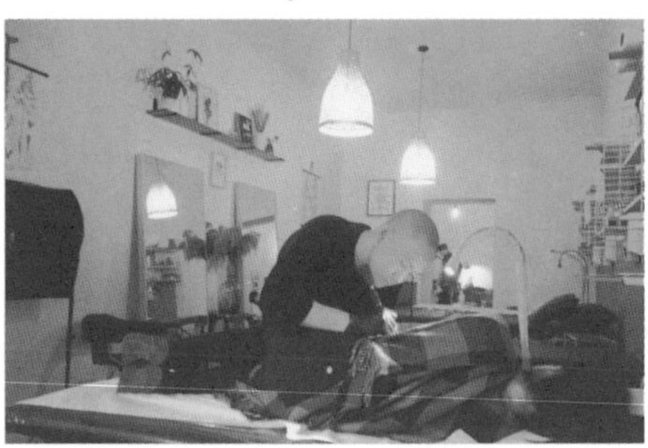

In Seoul leben und arbeiten

Das Coolste an Seoul ist das Tempo, in dem sich die Stadt wandelt, sich gegen Diskriminierung und Vorurteile wendet und neue Regeln schreibt.

In Korea darf nur tätowieren, wer eine medizinische Bescheinigung vorweisen kann. Weil Tätowierungen als Teil der Kultur des organisierten Verbrechens galten, wollte die Regierung ihre Ausbreitung verhindern. Wir mussten einen völlig neuen Stil kreieren, um die absurden Gesetze zu umgehen. Interessanterweise führt gerade dieser Fortschritt in anderen Bereichen zu dynamischen Veränderungen.

Die Entstehung des K-Styles

Die Geschichte Koreas ist von Kolonisierung, Bürgerkriegen und einer Abfolge von Militärdiktaturen geprägt. In diesen Zeiten von Härte und politischer Unsicherheit errangen die Koreaner wichtige Siege. Das dynamische Tempo des politischen und gesellschaftlichen Wandels in Korea begünstigte auch die kulturelle Entwicklung.

Jüngere, vom Konservatismus unberührte Menschen stellten an die Gesellschaft die kühne Forderung, ihre Vorurteile abzulegen. Diesem Wandel ist zu verdanken, dass junge Stars und Künstler heute über Frieden und Liebe sprechen können. K-Style ist so etwas wie die Gesamtheit an positiver Energie, die Korea heute besitzt.

Entwicklung und Beliebtheit der Tattoos im koreanischen Stil

Große Tattoos galten in Korea als Zeichen für die Zugehörigkeit zu kriminellen Vereinigungen, weil die Verbrecher damit ihre Gang-Abzeichen abdeckten. Auch dienten die stets großflächigen und aggressiv wirkenden Tätowierungen dazu, andere einzuschüchtern. Um mit diesen negativen Konnotationen zu brechen und Tattoos für nicht-kriminelle Kunden attraktiv zu machen, mussten wir koreanischen Tätowierer einen vollkommen neuen Stil entwickeln. Deshalb konzentrierten wir uns auf feine, aber ausdrucksvolle Zeichnungen. Als die Tätowierer begannen, gut zu verdienen, zog die Branche viele talentierte junge Künstler und Designer an, die in Korea reichlich vorhanden und schlecht bezahlt sind.

In den verschiedenen Generationen von Koreanern herrschen unterschiedlichste Einstellungen gegenüber Tattoos. Die Älteren haben Vorurteile, oder sie interessieren sich nicht dafür, und dies wird sich kaum ändern. In den sozialen Netzwerken aber gelten Vorurteile, unfaires Verhalten oder Unterdrückung als uncool. Wenn etwas als uncool bezeichnet wird, ändern die jungen Leute schnell ihre Meinung.

Die Beliebtheit von Tattoos bei koreanischen Prominenten wirkte sich positiv gegen alte Vorurteile aus. Junge Koreaner begannen, sie cool zu finden. Auch kamen viele ausländische Kunden in mein Seouler Studio, weil ich ihre koreanischen Lieblingskünstler tätowiert hatte. Auf einmal gehörte es für Hollywoodstars dazu, sich auf Promotion-Tours in Südkorea tätowieren zu lassen. Noch vor zehn Jahren wollten die hiesigen Marken nichts mit Tattoos zu tun haben. Inzwischen lässt eine Verbindung zur Tattoo-Kultur sie hip wirken.

Doys Anfänge als Tätowierer und aktuelle Erfolge

In den 80ern kam die Regierung zu dem Schluss, dass gutes Design Koreas Exportquoten zuträglich sei, und deshalb hat Korea mittlerweile weltweit die größte Zahl an Designstudienabsolventen. Weil es aber so viele von uns gibt, sind die Gehälter lächerlich niedrig. Ich ärgerte mich damals darüber, dass mein Talent nicht angemessen honoriert wurde. Ich wollte eine Arbeit mit mehr Anerkennung finden und entschied mich für das Tätowieren. In den ersten Jahren arbeitete ich weiterhin als Angestellter, denn als Ehemann und Vater konnte ich nicht das Risiko einer illegalen Arbeit eingehen. Mit der Zeit wurde ich bekannter, und ab 2013 konnte ich in Vollzeit tätowieren.
Bisher bestand unser Kundenkreis größtenteils aus jungen Frauen, mittlerweile aber wollen Mütter dasselbe Tattoo wie ihre Tochter haben. Sie sind vollkommen überrascht von dem ungewöhnlichen Stil. Während Tattoos früher ein Statement waren, mit dem man seine Persönlichkeit ausdrückte, gelten sie heute als nette Mode.

Leiter der Tätowierer-Gewerkschaft

Obwohl koreanische Tätowierer weltweit angesehen sind und oft in New Yorker oder Pariser Studios eingeladen werden, fürchten wir hier ständig, unsere Arbeit zu verlieren oder im Gefängnis zu landen. Es ist schwierig, Künstler in einer Gruppe zu vereinigen, doch es gelang, weil wir ein gemeinsames Ziel haben. Unsere Gewerkschaft versucht die Gesetzgebung zu beeinflussen, sie verschaffte uns Privilegien wie Gesundheitschecks, Versicherungen und eine Hygieneausbildung. Wir sind der koreanischen Gewerkschaftsgruppe zugehörig und brauchten mehr Präsenz in der Öffentlichkeit, deshalb bot ich mich als Leiter an.

instagram @tattooist_doy

Lim림 Kim킴

Musikerin und ehemaliger Popstar Yelim Kim

Stil und Einflüsse

Indem er Erinnerungen an seine Kindheit in Korea mit seinen Erfahrungen in Übersee verband, erschloss der Künstler Nam June Paik der koreanischen Kultur eine neue Perspektive. Die legendäre Tänzerin Choi Seung-hee interpretierte in den 1930ern den traditionellen koreanischen Tanz auf zeitgenössische Weise, indem sie Konzepte aus dem Volkstanz und dem Schamanismus modern ausgestaltete. Sie regte mich an zu meiner Art aufzutreten und mich auszudrücken.

Ich liebe die Komplexität in der Schlichtheit. Für meine Outfits wähle ich ausdrucksvolle Silhouetten und Farben. Auch Musik kann unterschiedliche Farben haben, wie Rot oder Purpur. Farben verleihen auf der Bühne oder in Musikvideos eine zusätzliche, besondere Kraft.

Ein Gleichgewicht von Logik und Intuition bringt wunderbare Ergebnisse hervor. Zwar stand Intuition bei mir immer im Vordergrund, doch bei der Entstehung meines Albums *Generasian* (2019) nahm Logik eine zunehmend wichtige Rolle ein. Für dieses Album musste ich nüchtern denken und verinnerlichen, was ich gelernt hatte.

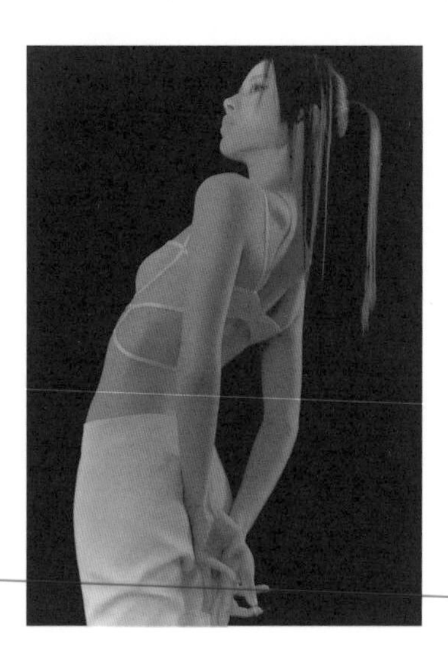

In Seoul leben und arbeiten

Seoul ist sehr fleißig. Ich bin gewissenhaft, und Seoul bewirkt, dass ich weiterkomme und Neues erreiche. Das rasante Tempo dieser Stadt hält mich dazu an, über meine Arbeit nachzudenken und mich voll und ganz einzubringen. Der Produktionsprozess meines Albums wäre in einer entspannteren Stadt anders verlaufen. Seoul ist in mein Album eingeflossen.

Die Entstehung des K-Styles

Die Aufwertung der Popkultur und der Aufstieg der sozialen Medien hatten starke Auswirkungen. Selbstdarstellung wurde selbstverständlicher. Der Einzelne wird nun ermutigt, wenn auch in begrenztem Maße, für sich zu sprechen und eine eigene Stimme zu entwickeln. In wichtigen politischen Momenten wurden kollektive Forderungen laut. Chaos und Wandel scheinen einen gewissen Stil hervorgebracht zu haben.

Beim K-Style geht es darum, der eigenen Stimme Ausdruck zu verleihen. Er entwickelt sich laufend weiter. Korea freundet sich mit neuen Dingen an und mixt sie, ob nun natürlich und korrekt oder nicht. Wir sorgen dafür, dass dies klappt — was in Asien nicht alltäglich ist.

Schamanismus ist ein Fundament der koreanischen Kultur. Wir sind von Musik und Tanz erfüllt, von Geist und Liebe. „Fusion" ist dabei ein Schlüsselbegriff, der sich auch auf dessen Fusion mit dem Christentum bezieht. Auch K-Pop ist eine Fusion — eine Fusion aller Stile.

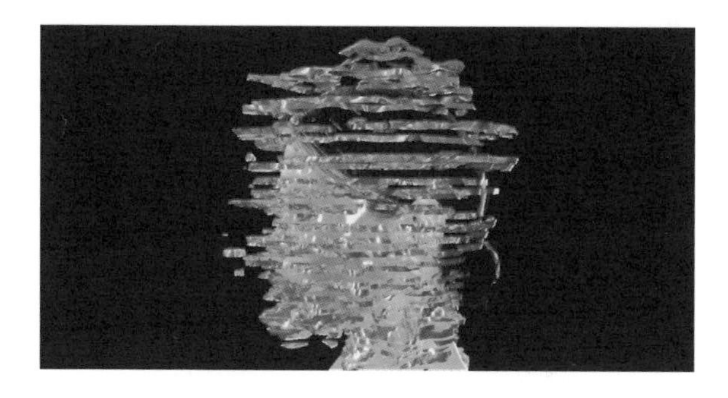

Der Abschied von ihrer Pop-Agentur und die Selbstständigkeit

Durch die Zusammenarbeit mit einem Unterhaltungslabel konnte ich meine eigenen Ansichten nicht vertreten. Vorgegeben war mir der typische Karriereweg einer koreanischen Sängerin. So sollte ein ungeliebter Song Titeltrack meines Albums werden und ich mich auf eine Weise darstellen, die mir unangenehm war. Ich kündigte, um mein Potenzial entfalten und meinen eigenen Weg gehen zu können.

Dank globaler Einflüsse wächst die K-Pop-Industrie, doch von innen betrachtet sieht man wenig Veränderungen und Verbesserungen. Das System ist nun besser organisiert, aber es mangelt noch an Diversität. Das könnte man auf den Publikumsgeschmack zurückführen, doch liegt es vielleicht auch an der Unterhaltungsindustrie, dass unkonventionellere Musiker nicht bekannt werden. Künstler, die ihren eigenen Stil einbringen und sich anders ausdrücken als die breite Masse, könnten dazu beitragen, den K-Style weiterzuentwickeln.

Arbeitsweise

Nachdem ich ein Thema ausgewählt habe, konzipiere ich einen Rahmen für die Story und entscheide, wie ich meinen Körper und meine Stimme einsetze, um diese Geschichte zu erzählen. Anschließend füge ich spezielle musikalische Komponenten ein. Immer wieder überlege ich, ob ich die richtige Geschichte ausgewählt habe, ob ich wirklich das ausdrücke, was ich möchte, und ich recherchiere, um dem Ganzen mehr Substanz zu geben. *Generasian* zu kreieren war ein

langer, mühevoller Weg, doch man findet seinen eigenen Weg ja nur, indem man sich ausprobiert und aus seinen Fehlern lernt.

Der Song „Yellow" über Vorurteile gegenüber Asiatinnen

Als ich mein Debüt als Lim Kim vorbereitete, spielte ich einer wichtigen Person der Londoner Musikszene ein Stück mit House-Einflüssen vor, an dem ich gerade arbeitete. Er meinte: „Das ist ziemlich gut, aber wie hört sich eigentlich eure koreanische Musik an?“ Diese Bemerkung machte mich neugierig, und ich beschäftigte mich intensiver mit Korea und Asien. Dabei wurde mir klar, wie verwirrend ich es immer gefunden habe, eine Frau und Asiatin zu sein.

Ich wollte ausdrücken, was man als Asiatin tatsächlich als „ostasiatisch“ empfindet. Seit Seoul so verwestlicht ist, fällt es schwer, koreanische und fernöstliche Kultur zu ergründen.

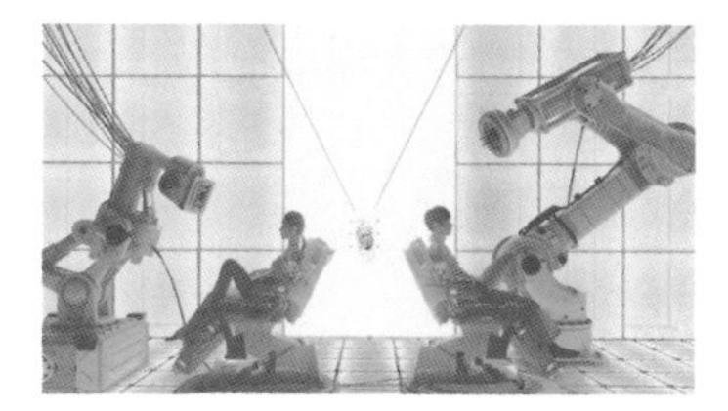

Das veranlasste mich, alles von Grund auf zu hinterfragen und zu überlegen, was ich als selbstverständlich ansehe. Dabei fiel mir auf, dass in unserer Branche nur wenige asiatische Musikerinnen arbeiten.

Eine neue Bewegung unabhängiger Frauen in Korea

„Ich habe mich stärker und selbstbewusster gefühlt“, sagen viele meiner weiblichen Fans. Sie, die lange nicht darüber sprechen konnten, was ihnen missfiel, schienen sich durch mich bestärkt zu fühlen.

Viele meinten, dass ein tougher Look besser meinen Songs mit den kraftvollen Aussagen entsprechen würde, aber ich habe ihn nicht verändert, weil das nicht zu mir gepasst hätte. Ich wirke ruhig und gelassen. Ich mag keine Leute, die fluchen. Wenn ich etwas Aggressives sagen würde, hätte die Aussage eine andere Bedeutung. Auch eine fragil wirkende junge Frau kann eine starke Stimme in sich tragen. Ich glaube, dass sich diese Frauen durch mich ermutigt fühlen.

Und was kommt als Nächstes?

Mit dem ersten Album schuf ich eine Figur, die sich von Vorurteilen befreit. Derzeit untersuche ich, wie ich in anderen Bereichen wie in Videospielen oder virtueller Realität eine neue Identität entwickeln kann und wie ich diese auf ungewöhnliche Weise versinnbildliche. Ich habe begriffen, dass ich verschiedene Charakterzüge in mir vereine. Je nachdem, was ich ausdrücken will, wähle ich einen davon aus.

instagram @limlim12121

„Die Koreaner mixen alles, was cool ist, hemmungslos neu. In der heutigen Welt, in der es keine klaren Grenzen mehr zwischen Original und Kopie gibt, kann der K-Style weltweit Beachtung finden."

– Sebastien Falletti, China- und Ostasienkorrespondent, *Le Figaro*

Faith

1MIL
DANCE S
SEO
+82 2 51
STUDIO@1MILLI

김바보옛날짜장
33
134
김바보
오늘의 특선

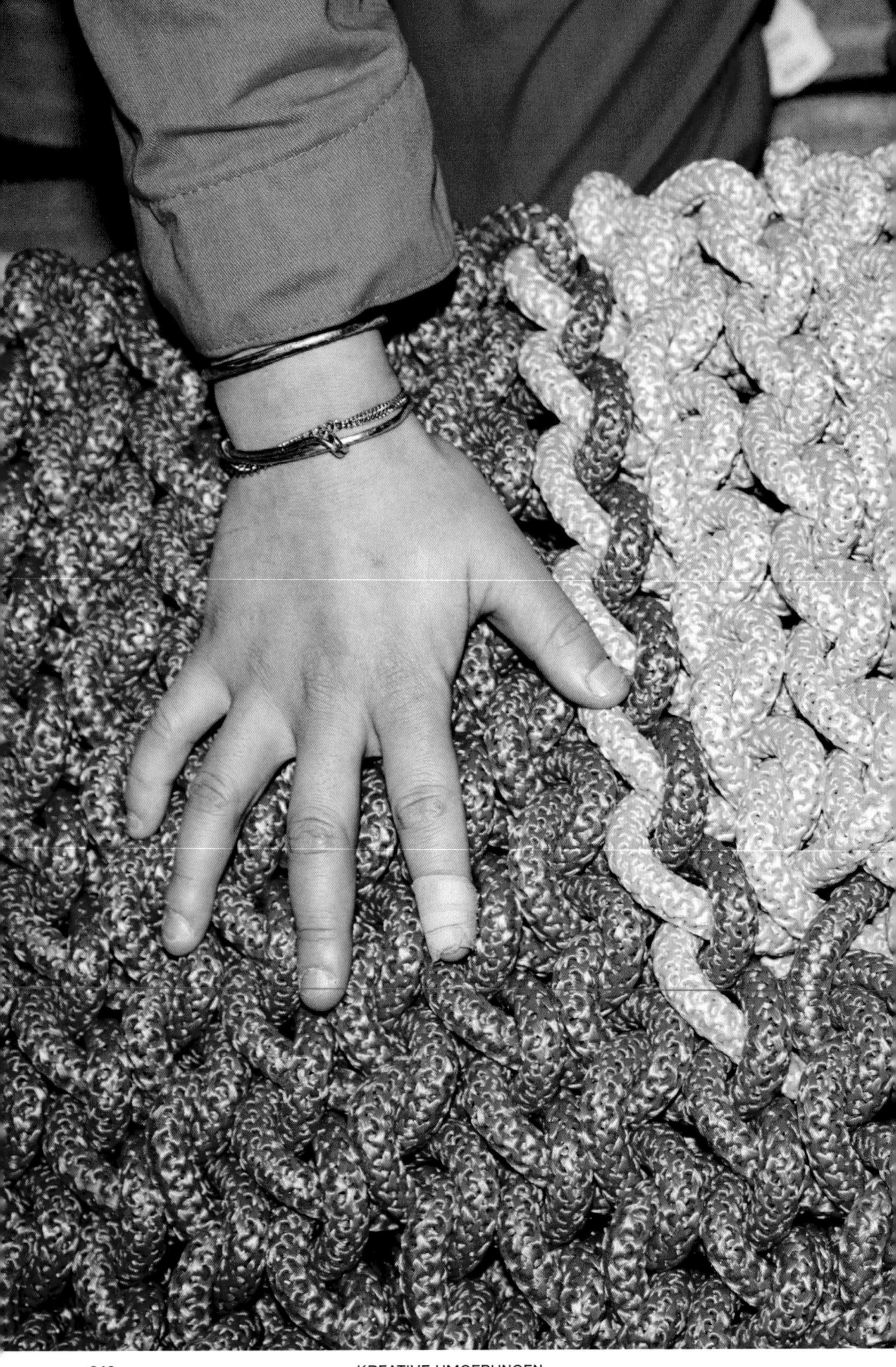

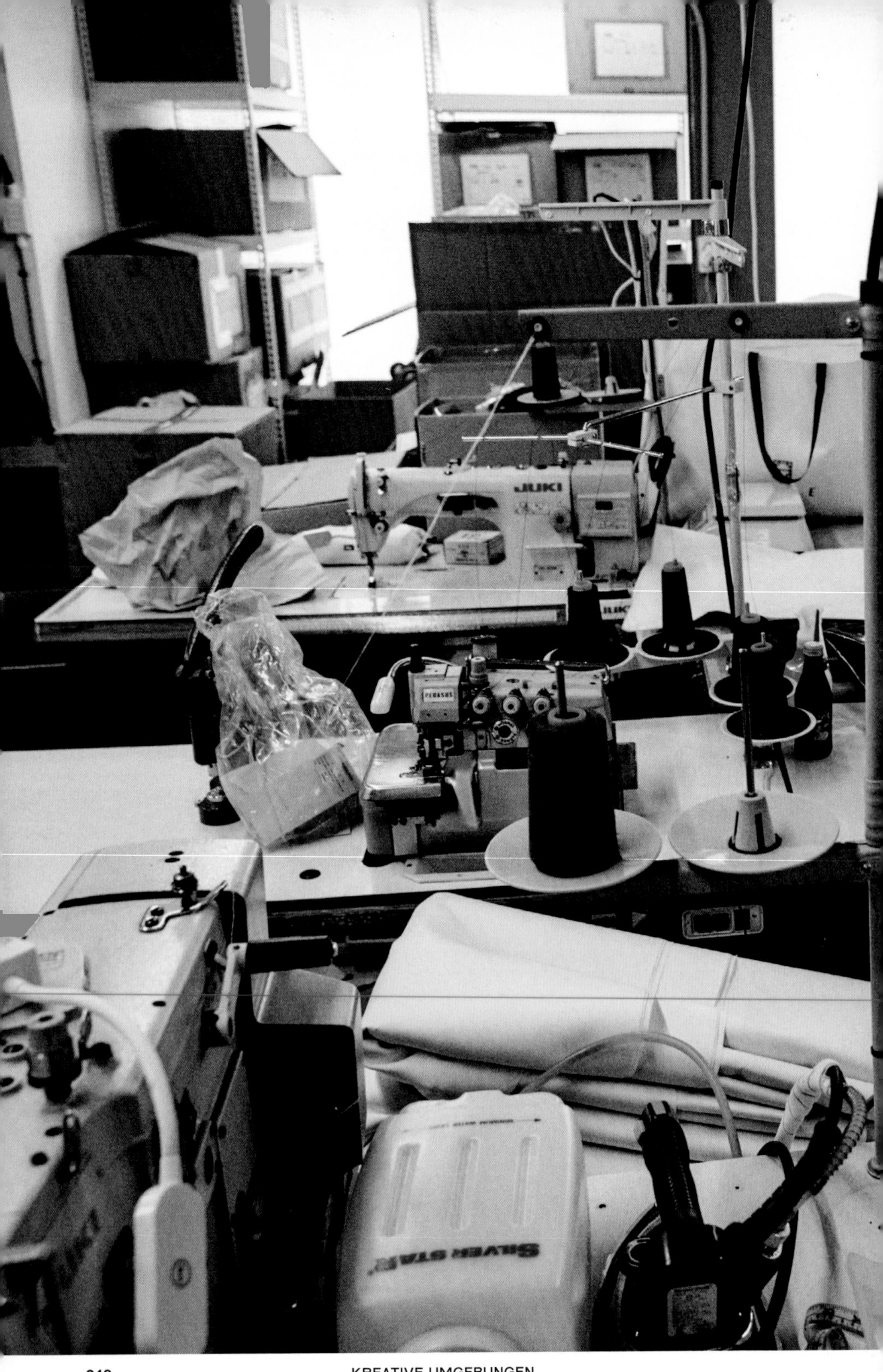
JUKI
PEGASUS

SunStar

POMADE
HELL
NEVER DIE HOSPITAL
NEVER M
WEDNESDAY, 29 MARCH 2
PATIENTS
THE ERECTIONS
HAT TRICKERS
RUX
나인티나인퍼센트이즈
인퍼센트이즈
퍼센트이즈

WORST

패턴 원피스
메쉬탑
카모 스커트
블레이저
사커저지
파자마팬츠
슬리브리스
가죽 베스트
버튼업 셔츠
바람막이

delete
return
shift
option
command

paloma — wool
16—17
TASCHEN

WORKER'S

1MILLION
DANCE STUDIO
SEOUL
+82 2 512 6756
STUDIO@1MILLIONDANCE.COM
1MILLION
DANCE STUDIO
SEOUL
+82 2 512 6756
STUDIO@1MILLIONDANCE.COM

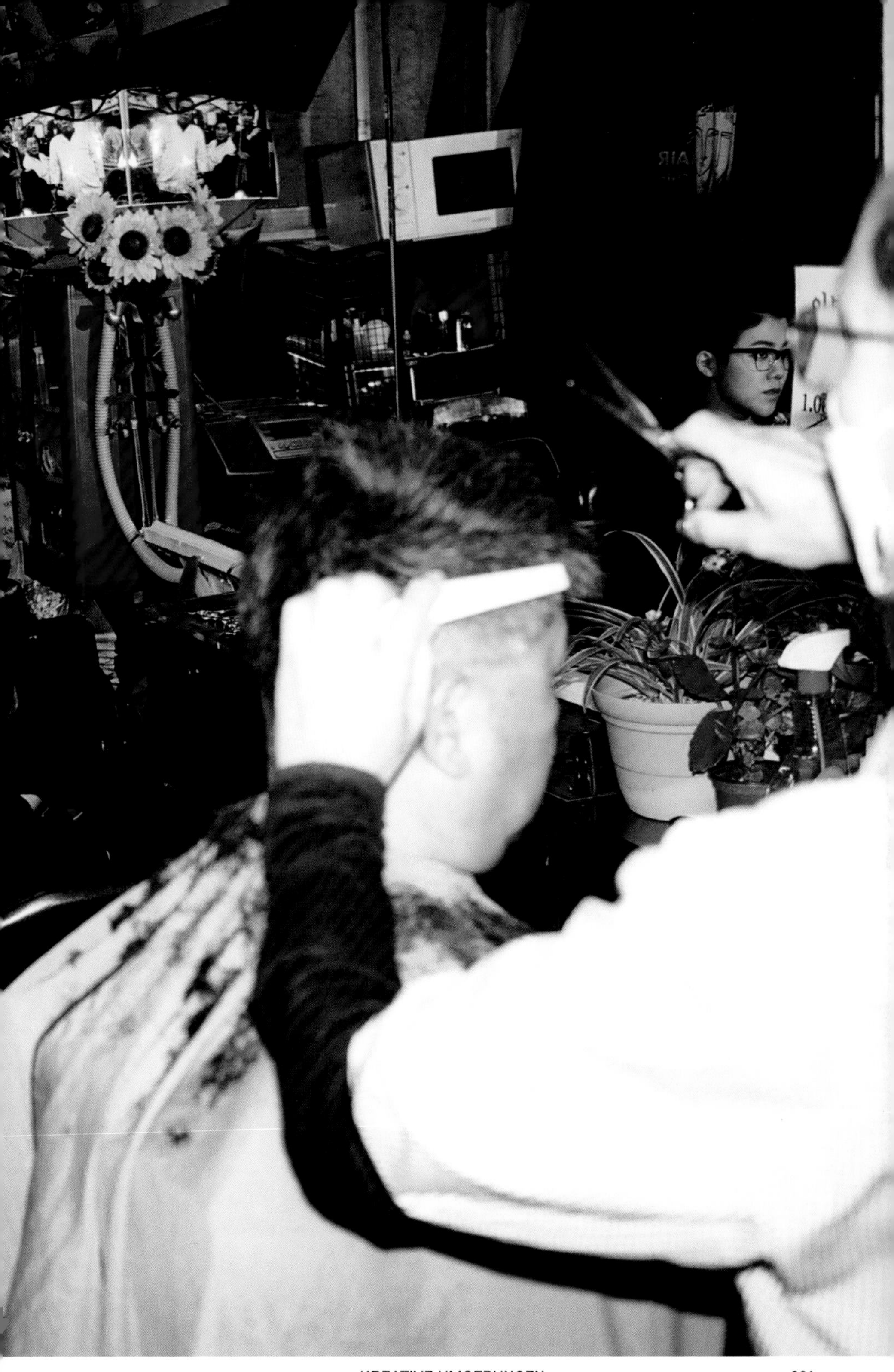

thisisneverthat
Mingles

Danny Chung

Danny Chung ist ein Songwriter und A&R-Manager von THEBLACKLABEL. Seit einem Jahrzehnt mischt er hinter der Bühne des K-Pop mit.

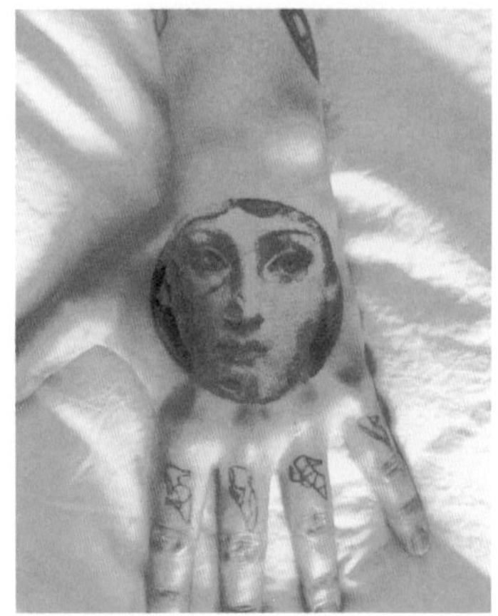

Entstehung und Zukunft des K-Pop

Auftritte von Gruppen wie 1TYM und Drunken Tiger weckten in mir den Drang, Künstler oder Liedermacher zu werden. Ich sah, was ein koreanisches Kid wie ich auf der Bühne zustande bringen könnte.

Die zweite Generation des K-Pop versuchte, das westliche Publikum dafür zu interessieren, indem sie westliche und koreanische Künstler in einer Weise zusammen auftreten ließ, die nicht wirklich passte. Sie unterschätzte die Intelligenz der Fans, es fühlte sich gezwungen und irgendwie nicht echt an. Es verwässerte das, was K-Pop zu diesem Zeitpunkt eigentlich sein wollte und sollte.

Nach diesen gescheiterten Crossover-Versuchen besann sich K-Pop auf seine Wurzeln. Die Labels konzentrierten sich darauf, Musik für Korea zu machen. Die Eroberung der Welt stand nicht mehr auf dem Plan, doch das Publikum wandte sich dem K-Pop wieder zu, weil er sich nun endlich wieder authentisch anfühlte. Ich stieg 2014 in die Branche ein, mit einem Job bei YG Entertainment. Damals erlebte K-Pop einen unvergleichlichen Aufstieg, und mein Bauchgefühl sagte mir, es würde nur eine kurze Mode sein. Doch da irrte ich mich.

Die Beliebtheit des K-Pops ist weit über die koreanische Halbinsel hinausgewachsen. Diese Strömung hat alle Ecken der Welt erreicht, und dank der sozialen Medien finden Kommunikationen statt, die zuvor nicht möglich waren. Die Anfänge des K-Pops sind älter als die sozialen Netzwerke, vielleicht sogar älter als das Internet. Damals lebte ich in Philadelphia, einer Stadt mit einer eher kleinen koreanischen Community. Wer koreanischen Pop hören wollte, musste sich in einen der beiden Videoverleihe bemühen oder in das einzige Musikgeschäft der Stadt. Heute dagegen haben die Algorithmen jedes einzelne Individuum ergründet und überschütten einen buchstäblich mit K-Pop, sobald man sich auch nur ansatzweise dafür interessiert. Und das finde ich toll: Jeder, der das möchte, erhält Zugang. Die frühe koreanische Popkultur wendete sich speziell an ein koreanisches Publikum, nicht weil sie exklusiv sein wollte, sondern weil es für sie damals keine Möglichkeiten gab, ein internationales Mainstreampublikum zu erreichen, das im Gegenzug auch gar nicht an ihr interessiert war. Doch K-Pop entwickelte sich weiter und mit ihm auch das Publikum. Inzwischen ist er zu einem globalen Phänomen geworden, und das sollte bei der Gestaltung seiner Inhalte berücksichtigt werden.

Die Beteiligten, die ich kenne, möchten eine positive Botschaft verbreiten. Unter dem Strich wollen wir die Leute nur dazu bringen zu singen und zu tanzen. Man bemüht sich verstärkt, K-Pop zu verwestlichen und zu globalisieren, und inzwischen ist das auch möglich geworden, weil die US-Labels begriffen haben, dass K-Pop eine ernst zu nehmende Größe ist. Es gibt einen harten Kern von Fans, die K-Pop leidenschaftlich lieben. K-Pop wird etwas westlicher, damit aber natürlicher und authentischer. Keiner konnte in der Musikwelt einen ähnlichen Erfolg verzeichnen wie ich. Inzwischen aber ist es für in Amerika lebende koreanische Kids normal, im Fernsehen koreanische Bands sehen zu können. Diese Bands können alles erreichen.

Das Verhältnis von Mainstream und Streetculture

Die Streetculture bestimmt, was Mainstream sein wird ... Sogar die K-Pop-Größen, zu denen ich Kontakt habe, stimmen sich auf die Seouler Subkulturen ein. Die Stars, die in Cheongdam und Hannam wohnen, sind mit den modebewussten Streetkids von Itaewon und Hongdae befreundet oder behalten sie zumindest im Auge und lassen sich von deren Kreativität inspirieren und von deren Haltung, anders zu sein. Anders zu sein ist etwas sehr Wertvolles, besonders in einer kollektivistischen Gesellschaft wie der koreanischen, die seit jeher auf einer homogenen Kultur und Weltsicht basiert. Die junge Generation bricht bewusst mit diesen Traditionen und erschafft sich ein neues Narrativ. Cakeshop, ein Club in Itaewon, wurde zur Brutstätte einer neuen Kultur, in der sich K-Pop und Streetculture überschneiden. Vor ein paar Jahren konnte man an jedem beliebigen Abend erleben,

wie G-Dragon oder CL und ihre Crews mit den Kids von Itaewon, den eigentlichen Urhebern der neuen Kultur, Partys feierten.

K-Pop und Mode

Viele Idole haben eine gewisse „Wirkung“: Jedes Produkt, mit dem sie gesehen werden, ob es nun Chips oder Taschentücher sind, verkauft sich wie von selbst. Diese Idole sind wie wandelnde Litfaßsäulen. Als auffiel, dass G-Dragon die Fersen seiner Vans heruntertrat und sie wie Pantoffeln trug, ging der Trend sofort viral, und Vans kreierte eine offizielle Version. Ich erlebte dieses Phänomen selbst. Bevor ich für YG Songs schrieb, machte ich allein Musik. In einem meiner Videos trug ich ein Vintage-Cap der Seouler Olympiade von 1988. Mein früherer Manager, der G-Dragon betreute, zeigte ihm das Video. G-Dragon und Taeyang beschlossen, für ihr Video „Good Boy" genau solche Caps zu tragen. Nachdem es herauskam, entstanden Piratenkopien, die Mütze wird bis heute weltweit verkauft. Die simple Wahl eines Kleidungsstücks, für ein Video ohne Budget, hat also dank des K-Pop eine erstaunliche Wirkung auf die globale Bevölkerung.

Koreanische Amerikaner im K-Pop

In der koreanischen Musik sind viele Künstler aktiv, die in Amerika aufwuchsen und dort ihre Träume verwirklichen wollten, was aber daran scheiterte, dass Amerika keine Ahnung davon hatte, wie es asiatische Künstler vermarkten sollte. Diese Künstler wanderten nach Korea aus. Inzwischen nehmen immer mehr große amerikanische Label K-Pop-Künstler unter Vertrag, was die Hitlisten erschüttert. Ich musste mein Heimatland verlassen, weil ich dort keine Anerkennung fand, und ironischerweise bewirkten mein Umzug nach Korea und mein Erfolg hier, dass Amerika letztlich meinen Wert erkannte.

instagram @the dannychung

Elaine YJ Lee

Auf Mode und koreanische Kultur spezialisierte Mitarbeiterin von *i-D*, *Highsnobiety*, *SSENSE*, *Apartamento*, *Document Journal* und anderen Magazinen. Frühere Chefredakteurin von *HYPEBEAST* Korea.

Ein kurzes Gastspiel im K-Pop-Styling

Als ich 2015/16 von New York zurück nach Seoul zog, arbeitete ich bei YG Entertainment für die Stylistin Ji Eun. Schon seit der Grundschule mochte ich K-Pop, aber ich war mehr in die Mode verliebt als in die Musik. Ji Eun revolutionierte den K-Pop-Look während des Big Bang. Zwar wird K-Pop heute für seinen perfekten, innovativen Stil gepriesen, wie ihn Gruppen wie BTS und Blackpink global präsentieren, doch wurde die K-Fashion in der ersten Hälfte der 2010er noch von harmonierenden, kostümartigen Outfits dominiert, die an Schuluniformen erinnerten, oder aber die Mitglieder einer Band trugen ein Einheitskostüm in verschiedenen Farben. Das gibt es auch heute noch, doch verhalf der Big Bang dem K-Pop-Stil zu einer Runderneuerung, indem er Couture mit Streetwear kombinierte und Kleidungselemente aus dem Ausland mit speziell koreanischen.

Als ich anfing, war ich entsetzt über die anstrengende Arbeit, die das K-Pop-Styling mit sich brachte, und über die engen Zeitpläne. Wir kamen eine ganze Woche lang nicht ins Bett und scherzten darüber, dass wir nur im Flugzeug, auf dem Weg zum nächsten Tour-Ort, Zeit zum Essen und Schlafen hatten. Die Arbeit, die hinter der Bühne für glamouröse Auftritte sorgt, ist überhaupt nicht glamourös. Doch wenn die Künstler dann in den Kostümen auftraten, bei deren Zusammenstellung ich mitgeholfen hatte, verspürte ich eine unvergleichliche Energie und Synergie. Bei einem normalen Fotoshooting kommen derartige Momente nicht auf. Die wenigen Monate, die ich bei YG verbrachte, waren ein einziger Adrenalinrausch.

Veränderungen in Koreas digitaler Mode

HYPEBEAST existiert erst seit fünf Jahren, und dennoch fällt es schwer, sich das heutige Korea ohne diese Plattform vorzustellen. Für einen Markt wie den koreanischen ist sie eine ziemlich sinnvolle Einrichtung. In den Anfangszeiten gab es keine vergleichbare Online-Plattform, die in so großem Maßstab und in vergleichbarem Tempo funktionierte. Wir mussten hart arbeiten, um unsere Präsenz auszubauen und bekannt zu werden. Außerdem war es schwierig, Autoren zu finden, die sich mit der globalen Sprache der Streetculture auskannten und gleichzeitig auch mit der lokalen Seouler Szene. Nur wenige der Texter, die für größere, konventionellere Publikationen gearbeitet hatten, konnten sich an das Tempo und den neuen Stil eines nur online veröffentlichten Mediums anpassen. Natürlich braucht man für die Neuen Medien neue, junge, internet-affine Texter.

Wir verfolgten eine aggressive Wachstumsstrategie, indem wir im Internet und in den sozialen Netzwerken mindestens einen Artikel pro Stunde veröffentlichten. Anfangs fanden die Leute es übertrieben, doch inzwischen ist es zur Norm geworden. *HYPEBEAST* Korea führte in der Region ein neues System der schnellen Diskussion über Modeartikel und Medienmitteilungen ein. Nach einem Jahr war die koreanische die am schnellsten wachsende Länderversion aller *HYPEBEAST*-Plattformen. Das ist nicht nur unserer harten Arbeit zu verdanken, sondern auch den Bedürfnissen des Markts. Damals wie heute bestand und besteht eine unersättliche Nachfrage nach digital verfügbaren aktuellen Modeinhalten, denn Koreaner verbringen mehr Zeit online als die Menschen anderswo in der Welt.

Die Auswahl der zu präsentierenden Marken

Täglich untersuchte ich in unzähligen Pressemitteilungen auch die Verbindungen der einzelnen Marken. Wurden sie von Branchenkennern beachtet und getragen? Wer waren ihre Freunde? Wer trug ihre Produkte? Ich prüfte deren Background und die zugehörigen Communitys und sah mir auch ihre Lebensläufe an. Hatte der Gründer oder Designer der betreffenden Marke eine angesehene Schule wie Central Saint Martins besucht? Oder Erfahrungen bei einer berühmten Luxusmarke gesammelt? Doch im Lauf einiger Jahre änderte sich das. Zwar hatten viele erfolgreiche Gründer im Ausland studiert und gearbeitet, in Städten wie London und New York, doch gewannen zunehmend Persönlichkeiten und Marken an Bedeutung, die sich allein in Korea entwickelt hatten. Die Zahl der kreativen Marken, die sich ausschließlich in Korea eine eigene Identität aufbauten und damit Erfolg hatten, wächst laufend. Wir hier in Korea müssen gar nicht mehr so weit über den Tellerrand blicken, um Inspiration zu finden.

Die zunehmende Vielfalt von Koreas Model-Industrie

Im Jahr 2015 schrieb ich für *Highsnobiety* einen Artikel darüber, warum koreanische Modefirmen weiße Models engagieren. Das Thema betraf nicht nur Korea, sondern weite Teile Asiens, darunter auch Japan, Singapur und Indien. Viele asiatische Marken versuchen, so etwas wie Tradition aufzubauen, um Glaubwürdigkeit zu erlangen. Da Popkultur meist als westlich wahrgenommen wird und asiatische Marken jünger als westliche sind, erzeugen weiße Models die Illusion, die asiatischen Marken hätten ebenfalls eine längere Geschichte.

Hinzu kommt, dass die Marken ihre Produkte weltweit vertreiben. Eine koreanische Marke fand, dass Produkte von weißen Models präsentiert werden müssten, um sie nach Großbritannien verkaufen zu können. Damals war die Branche weltweit von weißen Models dominiert, die asiatischen Marken machten diesen Trend mit, um konkurrenzfähig zu bleiben. Schwarze Models engagierten sie nur gezielt, wenn beispielsweise die Hip-Hop-Kultur dargestellt werden sollte.

Diese Trends sind immer noch vorherrschend, doch ist einiges inzwischen besser geworden. Zahlreiche lokale Marken denken innovativ und engagieren Models mit unterschiedlichen Wurzeln. Dieser Wandel während der letzten Jahre unterstreicht die Tatsache, dass die koreanische Modeindustrie immer besser ihre eigene Identität und ihre Position versteht, und was es bedeutet, Weltbürger zu sein.

instagram @elaineyjlee

Jason Schlabach

Jason Schlabach entwickelt Marken und hat das RYSE Hotel in Hongdae, Seoul konzipiert. Seine Leidenschaft gilt den Subkulturen und den künstlerischen Ausdrucksformen, die darin zu finden sind.

Erste Eindrücke vom koreanischen Stil

Ich war beeindruckt, mit welcher Offenheit Koreaner darangehen, ihren eigenen Stil aufzubauen. Es ist ein ehrlicher Ansatz, das finde ich cool. So etwa in den Bereichen Beauty und Körperpflege: In den USA tut man, als sei alles ganz natürlich und mühelos. In Korea muss man sich, bevor man sein Büro betritt oder sich an einen öffentlichen Ort begibt, den Spiegel oft mit anderen teilen, dabei kann jeder sehen, dass ein vorzeigbarer Look harte Arbeit ist – sogar bei Männern! Niemand tut so, als sähe er immer so aus. „Ja, ich bemühe mich. Ich arbeite hart an meinem Stil." Ich finde es erfrischend, dass man auf den Prozess als solchen ebenso stolz ist wie auf das Ergebnis.

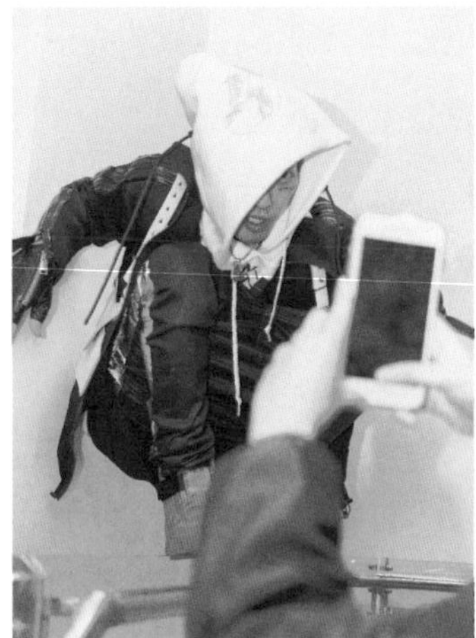

Die Schlüsselelemente des K-Styles

Gemeinschaftlichkeit ist immer noch wichtig. „Twinning" ist nicht mehr so stark vertreten wie vor vier oder fünf Jahren, doch der Grundgedanke, der darin bestand, Stil-Communitys zu bilden, hat weiterhin Bestand. K-Style ist nicht unbedingt individualistisch, sondern bedeutet, dass man seinen eigenen Stil zusammen mit seinem Freundeskreis entwickelt, im Rahmen einer gemeinsamen Erfahrung.

Mir ist aufgefallen, dass die Identität und der Stil junger Leute in Korea in stärkerem Maße selbst konstruiert und weniger durch Erziehung und Familie geprägt ist. Dafür könnte der relativ junge wirtschaftliche Boom verantwortlich sein. Im Westen beeinflussen die Eltern die Einstellung ihrer Kinder zum Konsum, sodass etwa Vorlieben für Automarken regelrecht vererbt werden und drei bis vier Generationen derselben Marke den Vorzug geben. Ästhetische

Vorlieben und Markentreue färben das Weltbild ein. Alle Kinder rebellieren gegen ihre Eltern, doch für diese Rebellion brauchen sie ein Fundament. In Korea besteht eine große Offenheit gegenüber Kultur, Marken und Stilen aus Korea, Asien und der ganzen Welt, denn viele Jugendliche konnten von ihren Eltern keine entsprechenden Vorlieben übernehmen. Die Entwicklung der Basis eines eigenen Stils wird zu einer gemeinschaftlichen Unternehmung innerhalb der Gruppe von

Freunden und Gleichaltrigen. Wenn in Seoul ein bestimmtes Sneakermodell beliebt ist, sieht man es plötzlich an allen Füßen, und man fragt sich unwillkürlich, von wem die Anregung stammte.

Die Entstehung des K-Styles

Die Veränderungen in koreanischem Stil beeinflussten im letzten Jahrzehnt ganz Asien. Ich habe zuerst in Hongkong und dann länger in Korea und Singapur gelebt und dabei gesehen, wie stark und schnell sich dieser Einfluss ausbreitete. Früher konnte ich in Hongkong spazieren gehen und koreanische Besucher sofort an ihrem Stil erkennen. Sie fielen durch ihre Frisuren, Beautytrends und Kleidung von koreanischen Marken auf, und ich merkte auch, dass viele sie sich genauer ansahen. Mit der Zeit wurde es immer schwerer herauszufinden, wer wirklich aus Korea kam und wer die Stile aus K-Pop, K-Dramas und Streetwear-Blogs übernommen hatte. Dank des Internethandels sind neueste Modelle aus Seoul weltweit erhältlich. Es ist keine Seltenheit mehr, in Singapur T-Shirts mit koreanischen Aufschriften zu sehen oder die Haarschnitte der Pop-Idole in Schanghai oder auch Mode von Ader Error an Berliner Besuchern der Art Basel.

In Seoul leben und arbeiten

Seoul verstand ich nur langsam – das machte die Stadt für mich so faszinierend. Die Kunst und das grafische Design zeugen von einem fundierten Wissen und Geschichtsbewusstsein, was die aktuellen Stile bereichert. Dem stehen große Areale der Stadt entgegen, die noch ganz „undesigned“ sind – etwas, das selten ist in unserer hyperästhetischen Welt. Damit meine ich die erstaunlichen gelben Kisten von den Märkten, die auf den Gehsteigen temporäre Kunstinstallationen bilden; die allgegenwärtigen Garagenrolltore mit ihren gelben, blauen und roten Streifen; die Essstäbchen aus Metall, die man in allen besseren Restaurants vorfindet und viele andere nützliche und seltsam ansprechende Designs. Für die Einrichtung des Hotels RYSE nahm ich viele Anleihen bei diesen Techniken und Materialien, andere übernahm ich, um dann mit allen zu improvisieren. Es ging darum, „hohes“ Design mit funktionalen Materialien und Elementen zu verschmelzen, die in den letzten Stadien eines räumlichen oder grafischen Designs oft übersehen werden. Das alles inspirierte mich dazu, rohen Beton, Risographiedrucke mit erkennbaren kleinen Fehlern, Skulpturen aus Baustahl, eine LP-Schneidemaschine aus den 30ern, Installationen aus lackiertem Sperrholz und nützliche Gegenstände für

die Einrichtung eines Hotels zu verwenden, das bequem und luxuriös sein und den Gästen einfach gute Laune machen sollte.

Die von Fast Fashion, Musikvideos und Trends bestimmten Elemente des koreanischen Stils interessierten mich eigentlich nicht. Das Reizvolle an der Marke RYSE ist, dass sie Objekte aus unterschiedlichsten Bereichen auf überraschende Weise kombiniert.

Der auffällige Streetstyle von Seoul

Ich fand es interessant, wie sorgfältig die Outfits der jungen Leute zusammengestellt und auf die ihrer Freunde abgestimmt waren. 2017 sah man eine Zeit lang überall „Twinning“: Freunde trugen die gleichen T-Shirts, Schuhe oder Jacken. Ich wollte das RYSE Hotel zu einem angenehmen Ambiente für Treffen solcher Freundesgruppen machen. Nicht etwa exklusiv und unerschwinglich, sondern wirklich stylish und ebenso ikonisch wie der angestrebte Kleidungsstil.

Während das Hotel gebaut wurde, sah ich immer wieder Beispiele dafür, dass das Alltägliche in Korea unbeabsichtigt stylish ist. Die Rohre und strukturellen Bauelemente waren unglaublich farbenfroh und ergaben erstaunlich schöne Ansichten. Selbst die Bauarbeiter kleideten sich stilsicher, angefangen von ihren Camouflage-Schals für den Winter bis hin zu den Netzeinsätzen ihrer Oberteile im Sommer.

Musik und Subkultur

Die koreanische Kulturszene zeichnet sich durch sehr starke soziale Verbindungen aus. 360 Sounds ist eine Gruppe von DJs und Musikern, die bei der Verbreitung von Musiktrends in Seoul und ganz Korea eine große Rolle gespielt hat. Die Mischung aus Respekt, echter Freundschaft und Loyalität, die ich bei dieser Crew erlebte, beeindruckt mich bis heute. Sie sind der Musik und ihrer Mission, sie in den Clubs Nacht für Nacht dem Publikum nahezubringen, treu geblieben. Das lange Bestehen der Gruppe und der Umstand, dass kontinuierlich neue Mitglieder dazukommen, bedeutet, dass sie sich stetig weiter entwickelt, ohne einfach nur Trends nachzujagen.

instagram @jasonschlabach

Sukwoo Hong (alias Your Boyhood)

Koreanische Mode

PAF (Post Archive Faction)

Was bedeutet „Post Archive Faction"? Die offizielle Erklärung von Markendirektor und Gründer Dongjoon Lim lautet, dass die vielen unterschiedlichen Kulturen und Menschen, deren Geschichte in die verschiedenen „Archive" eingegangen ist, und der Aufbau von „Archiven der kommenden Generationen" in den Markennamen eingeflossen sind. Die inoffizielle Erklärung ist Lims Beziehung zu seinem Vater, der sich in den 80ern aktiv für die Demokratie engagierte. Die Existenz einer Partei, die andere Werte als die vorgegebenen anstrebte, beeinflusste seine Weltsicht entscheidend. Anstatt die angebotenen Informationen unkritisch hinzunehmen, stellt er Fragen. Was stimmt wirklich? PAF stattet alle Modelle seiner Kollektionen mit Etiketten aus, auf denen „Links", „Mitte" oder „Rechts" steht.

In jeder PAF-Kollektion gibt es ein „rechtes fundamentales Modell", das von einer relativ großen Anzahl von Menschen getragen werden kann, ein „linkes radikales Modell", das avantgardistisch ist und für die das Modellieren und die Ergonomie erforscht wurde, und ein „brückenbildendes Modell der Mitte", das die Werte der beiden anderen auf sich vereint.

In einer Kollektion führte ein T-Shirt, das für den kommerziellen Erfolg konzipiert war und mit hochpreisigen Prêt-à-porter-Teilen kombiniert wurde, die Philosophie der Marke vor. Lim zufolge drückt dies die „faktische" Markenidentität von PAF aus, ermöglicht aber auch den Fortbestand eines kleinen Modelabels. Dank dieses Geschäftsmodells, dem er seit 2017, dem Gründungsjahr von PAF, treu geblieben ist, kann seine kleine Firma mit den experimentellsten und faszinierendsten Modemarken Schritt halten.

Anders als viele andere Designer beschäftigte sich Lim vor der Gründung von PAF überhaupt nicht mit Mode, sondern war begeisterter Lego-Baumeister. Als Teenager dachte er sich eigene Modelle aus und setzte seine Pläne um, und diese Leidenschaft veranlasste ihn auch dazu, als Studienfach Industriedesign zu wählen. In seinem unaufgeregten Ensemble aus Hose und Jacke von Comme des Garçons wirkt er auch gar nicht wie der Creative Director eines avantgardistischen Modelabels. Anstatt sich leidenschaftlich der Mode hinzugeben, studierte er sie mit wissenschaftlicher Akribie: Er abonnierte unzählige Facebook-Seiten von Modemarken und analysierte ihre Zusammenstellung von Kollektionen, ihre Präsentation der Modelle und ihre Strategien für Werbekampagnen.

Arario Gallery
POST ARCHIVE FACTION (PAF)

Die Gestaltung der Modelle wäre ohne den Mitgründer und versierten Schnittmacher Sookyo Jeong nicht möglich gewesen. Die beiden erkoren ein kleines Haus in der zu Itaewon gehörenden Nachbarschaft Bogwang-dong zu ihrem Atelier. Bei der allerersten Kollektion ging es um verschiedene Arten, Daunenjacken, Sweathosen und Mäntel zu de- und dann zu rekonstruieren, mit Schnüren zu binden und zu rekombinieren, um sie anschließend auf einem virtuellen Laufsteg zu präsentieren. Nachdem alle Fotos aufgenommen waren, wurde der irgendwo in Gyeonggi-do aufgebaute Laufsteg-Set verbrannt. Lim hielt den gesamten Vorgang in einem Video fest, als „eine Art Erklärung, die die Gründung von PAF markierte".

Als er seine Marke gründete, dachte Lim, dass sich deren Identität am besten durch Anonymität und Staatenlosigkeit ausdrücken lasse. Genau diese Herangehensweise machte Kunden in aller Welt neugierig. Lim dokumentiert nicht seinen Inspirationsprozess und erfindet auch kein Narrativ zu seinen Kollektionen. Fast alle Modelle werden von männlichen Models mit verhüllten Gesichtern vorgestellt, die gar nicht erst versuchen, irgendeinen Lebensstil zu verkörpern. Anstatt über die Fantasiekomponente von Mode zu sprechen, entwickelte Lim einfach nur eine Methode, um die typischen Details und Silhouetten von PAF sichtbar zu machen. Mode ist für ihn eine Realität, eine Abfolge von Erinnerungen, die er gewissenhaft wiedergibt.

Doch beim Filmen der Markenkampagne für 2021 wurden einige dieser Vorgaben beiseitegefegt. Lim zeigte das Foto eines sich scheinbar unendlich weit ausdehnenden Modells aus der Kollektion PAF 4.0 vor dem Hintergrund des Strands einer koreanischen Kleinstadt. „Ohne selbst zu wissen warum, fand ich dieses Foto sehr ‚koreanisch'. Mit Anfang 20 hatte ich eine starke Abneigung gegen ‚Seoul' oder ‚Korea'. Ich dachte, dass Seoul beliebter hätte sein können, wenn es eine andere Stadt gewesen wäre. Inzwischen hat sich diese Einstellung ein wenig verändert. Ich glaube nicht, dass es irgendwo auf der Welt einen Ort gibt, der mehr Spaß macht als Seoul. Inzwischen mag ich Seoul mehr."

Das heutige PAF-Atelier liegt in einem Wohnviertel nicht weit vom Seouler Stadtzentrum und ist so betriebsam wie eh und je. Bei der Entwicklung neuer Modelle und der Vorbereitung von Kooperationen kommuniziert die Crew ständig untereinander. Bevor wir mit diesem Interview begannen, stellte Lim mich den einzelnen Teammitgliedern vor. Für ihn ist PAF kein „Modelabel". Zwar spielt Kleidung für ihn eine große Rolle, doch ich kann mir gut vorstellen, dass er in alle Bereiche expandiert, die er beeinflusst und dokumentiert hat, wie Mode, Kunst, Industriedesign und Architektur. Und das ist der wahre Grund, warum der Markenname „Post Archive Faction" lautet und nicht „Dongjoon Lim".

postarchivefaction.com
instagram @postarchivefaction

THEEUM VISITR
<LOVE
HE MUSEUM VISITO
12/24
Design Museum
BERLIN / EUROPE
ART FESTIVAL
호아킨 피닉스
조커
10월 2일 대개봉
상상 그 이상의 전율"

K-Fashion 02

THE MUSEUM VISITOR

The Museum Visitor verkörpert Erinnerungen an San Francisco und Berlin, wo Firmengründer Moonsu Park seine Tage damit verbrachte zu zeichnen und Galerien zu besuchen. Ich begegnete seinen Arbeiten erstmals 2018. Es handelte sich um eine Kollektion aus Modellen, die Schneidertechniken sowie die (irgendwie privaten) Gedanken ihres Schöpfers in sich vereinte. Parks Art, sich auszudrücken, ist nicht unbedingt typisch für einen Designer. Man sieht seinen Kollektionen an, dass er infrage stellt, ob er etwas „Aktuelles“ oder aber Klassisches kreieren soll. Die 2018 vorgestellten Arbeiten passten ziemlich gut zu der Unterhaltung, die ich mit ihm führte, sie passten auch zu der von einem deutlichen Stilempfinden geprägten Atmosphäre seines Ateliers und überhaupt zu seiner ganzen Haltung.

In Korea eine Marke zu gründen ist nicht schwer. Die größte Modehandelsplattform des Landes, MUSINSA, bietet über 3000 lokale Marken an. Streetwear wurde im Lauf der Jahre immer wichtiger und ist weiterhin dominierend. Manche Marken präsentieren etwas, das sich kaum von Fast Fashion unterscheidet. Die Produkte von The Museum Visitor dagegen wirken frisch, weil der junge Designer Park nicht versucht, beliebten und bewährten Trends zu folgen. Er selbst ist ein Mann, der in einer alten 501-Levi's-Jeans, hochwertigen Lederschuhen, einer klassischen Armbanduhr und einem weißen, gut geschnittenen Hemd mit ungewöhnlichen Details durch Seoul streift – so verkörpert er das Image von The Museum Visitor.

Im Jahr 2021 ist Park zuversichtlich, dass The Museum Visitor weiter wachsen und in neue Bereiche expandieren wird, dass größere Geschäfte aufmerksam werden und sich eine breitere Palette von Kunden und Freunden von seinen Ideen angesprochen fühlt. Interessant ist, dass Park ursprünglich gar keine Modemarke gründen wollte. Zwar begeisterte er sich schon als Schüler für Kleidung, doch hatte er nie vor, Modedesigner zu werden. Stattdessen liebte er die Malerei. Blumen und Häuser, mit leichten Pinselstrichen platziert, abstrakte Kreationen und einige wenige Worte sind Elemente, die sich allmählich in seinen Kollektionen nach vorn drängten.

Seinen Kunden geht es nicht in erster Linie um „Stil“. Spuren der von Hand aufgetragenen Farbe machen den gut sitzenden Parka und den Trenchcoat mit Illusionsmalerei unverwechselbar. Fans tragen diese Marke, weil sie die künstlerische Sichtweise schätzen. Ein berühmter koreanischer Schauspieler konnte beispielsweise ein eigentlich vergriffenes Modell

MERA WETZLAR GERMANY

erwerben, indem er Park direkt anschrieb. Auf diese Weise konnte eine bis dahin noch wenig bekannte Marke Wiedererkennungswert unter koreanischen Mode-Freaks erringen.

Im Sommer 2021 blickte Park auf den Weg zurück, den seine Marke genommen hatte. Zwischen den frühen Kollektionen, die das Wort „Atelier" verkörperten, und der aktuellen bestehen gewisse Unterschiede. Obwohl Park von Anfang an Kleidung für Männer machte, kaufen auch viele Frauen seine Mode. Deshalb lancierte er im Herbst 2021 offiziell eine Damenkollektion. Eine durchsichtige Windjacke und eine Hose mit breitem Saum und einem kleinen Siebdruck-Patchwork, mit der Aufschrift „BERLIN, PARIS, SEOUL", sind im Geschäft neben einer handbemalten Fußmatte ausgestellt, die Blumen und ein Lächeln zeigt. Geschlechterzuordnungen spielen kaum eine Rolle bei der Kollektion von The Museum Visitor.

Park verwendet im Gespräch über seine Marke häufig die Begriffe „Avantgarde", „Liebe zur Kunst" und „Rock". Normalerweise interessieren mich Marken, die ihre Kleidungsstücke mit diesen Wörtern beschriften, nicht, weil ihre Bedeutung viel zu offensichtlich ist. Doch wenn ich diese Aufschriften nach meinem Gespräch mit Park auf Stücken von The Museum Visitor sehe, wirken sie ganz beiläufig. Die Kollektion von The Museum Visitor und die Denkweise ihres Gründers passen einfach zu gut zusammen.

the--museum--visitor.com
instagram @themuseumvisitor

AFTER PRAY
AFTER PRAY

K-Fashion 03

After Pray

Ich lernte After Pray 2018 kennen, kurz bevor sie im Rahmen der Seoul Fashion Week ihre erste Kollektion Frühjahr/Sommer 2019 vorstellten. Sungvin Jo und Injun Park, zwei junge Männer Anfang 20, beschlossen, eine gemeinsame Modemarke zu gründen, weil sie ähnliche Designer gut fanden. Sie einigten sich auf einen Markennamen und studierten noch ein paar Jahre weiter. Dabei konzentrierten sie sich, der eine in Paris und der andere in Seoul, auf Herrenmode, Schnitttechnik und Verarbeitungsmethoden. Diese Marke, bei der der Charakter und die Linienführung der Streetwear mit den alltagstauglichen Materialien und Schnitten der Sportswear und dem Verarbeitungsanspruch von hochpreisiger Konfektion eine gelungene Verbindung eingehen, tauchte also nicht plötzlich aus dem Nichts auf.

„Auf der Grundlage einer Kollektion, die das Bild des ‚jungen Menschen aus der dynamischen Stadt der Zukunft' heraufbeschwört, zielen wir darauf ab, zu einer Marke zu werden, die die Elemente moderner Herrenkleidung auf behutsame Weise verändert", erklärt Jo. „Denn das ist es, was mir gefällt, und auch das, was wir mit unserer Marke umzusetzen versuchen." Die beiden Gründer sehen After Pray nicht als Vertreter eines einzelnen Genres; stark vereinfachend könnte man die Marke als „hybrid" bezeichnen. Sie kombinieren Schneiderkunst, Militärstil, Streetwear-Elemente, Arbeitskleidungscharakter und praktische Elemente der Sportbekleidung, um ihren besonderen Look zu erzielen. „Wir versuchen, Produkte zu kreieren, die elegant und praktisch sind, aber auch zu den heutigen Trends passen", sagt Jo. Die Designsprache von After Pray baut auf einem breitem Verständnis von Kultur auf und auf Elementen, die so unterschiedlichen Bereichen wie der Kunst, der Literatur und der Subkultur entlehnt sind. Das Ergebnis sind zeitgenössische, originelle Kollektionen. Die beiden Gründer koordinieren den gesamten Produktionsvorgang, von der Vorbereitung über die Herstellung bis hin zur Präsentation der Kollektionen. Die Zeiten, in denen Modeschöpfer einfach nur zwei Kollektionen pro Jahr vorstellen und dann in aller Ruhe darauf warten konnten, dass die Kunden in die Geschäfte strömten, sind vorbei. Die koreanischen Modemarken müssen heute nicht einfach nur Kleidungsstücke herstellen, sondern außerdem laufend neue Modelle anbieten, um als Marke direkt mit den Kunden zu kommunizieren.

Park erzählt, wie es ist, zu einem breiteren Publikum Kontakt zu halten, wenn man an die Verkaufszahlen denkt: „Früher hatte ich das alles

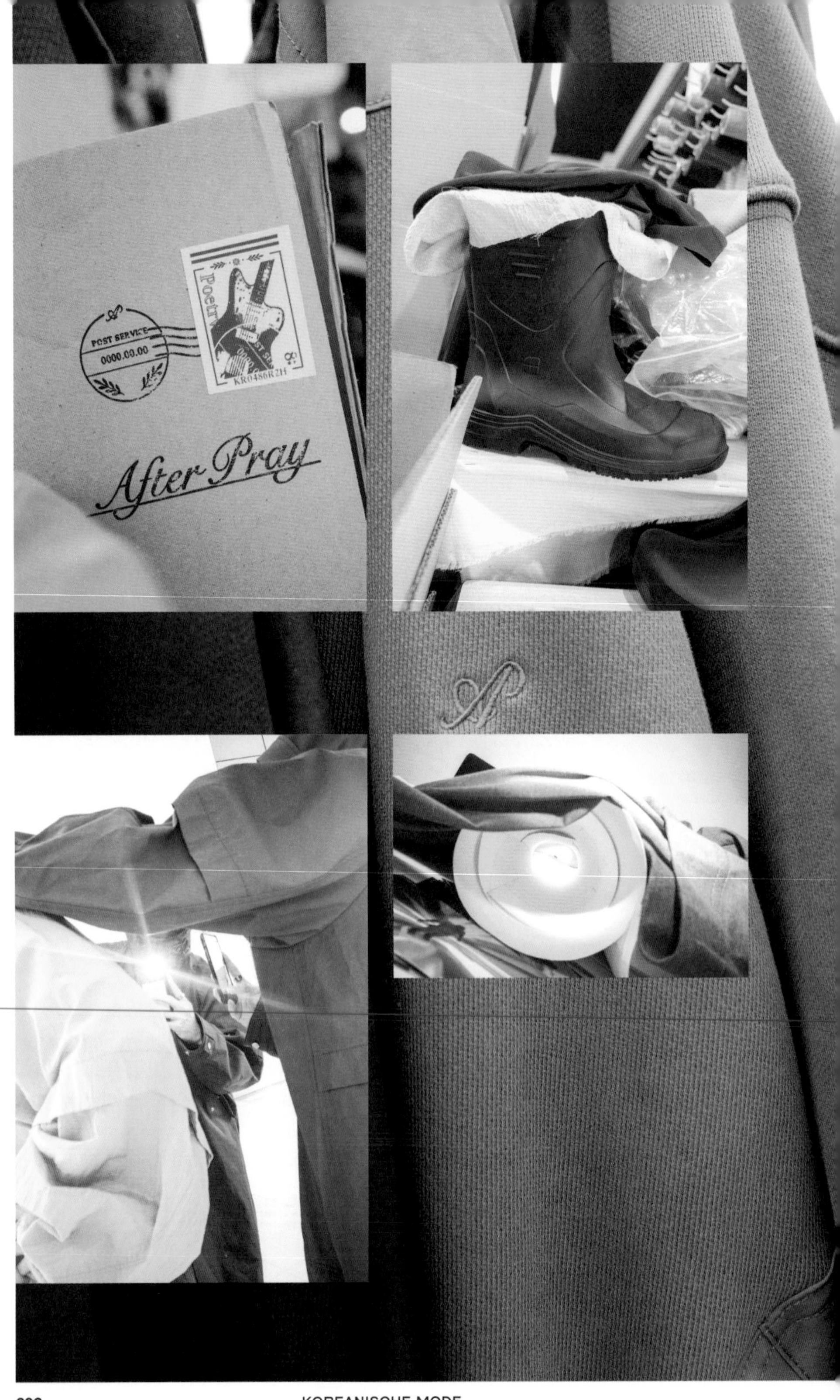
POST SERVICE
0000.00.00
Poetry
KR0486R2H
After Pray

im Kopf, das Entwerfen, das Erstellen der Schnitte und die Herstellung der Sachen. Heute muss man an so vieles gleichzeitig denken, aber man lernt dabei auch viel ... Etwa, wie man kommuniziert, welche Inhalte man schaffen muss und wie man sie präsentiert." Auf der offiziellen Instagram-Seite von After Pray findet man neben seriösen Werbeaufnahmen auch unkommentierte witzige oder alberne Bilder. Junge Männer, die Kleidung von After Pray tragen, gehen Straßen entlang, öffnen vor dem Hintergrund eines blühenden Gartens Einladungskarten, machen zu Hause Selfies oder unterhalten sich mit Freunden.

Im Jahr 2021, nach der Präsentation ihrer achten Kollektion, zogen sie von Hannam-dong nach Sinseol-dong um, von einem über ein Jahr lang genutzten Showroom in wesentlich größere Räumlichkeiten, die nun als Atelier dienen. „Ich persönlich finde, dass ich wesentlich weiter gekommen bin, als ich erwartet hatte. Mein Ziel war eine Marke mit stärkerem Charakter gewesen. Wir gehen jetzt in das vierte Jahr unseres Bestehens und können nun mit etwas Abstand auf unsere Anfänge zurückblicken."

„Wir machen moderne Mode und zeigen dabei, worum es uns geht, und deshalb finde ich, dass wir den richtigen Weg gewählt haben", sagte Jo über ihre Entscheidung. Ihr Weg, der darin bestand, eine Herrenmodenmarke zu gründen, war nicht nur ein Traum, sondern ein ernst zu nehmendes Ziel, für das sie sich bereits in jungen Jahren entschieden hatten. Und genau dadurch unterscheidet sich After Pray von anderen jungen Modemarken.

Im Jahr 2022 wurde mit den Vorbereitungen zum Ausbau der Geschäftsbeziehungen nach Übersee begonnen. „Wir wollen mehr Menschen erreichen, ein vielfältigeres Publikum. Wir werden intensiv Werbung betreiben, dürfen dabei aber nicht unsere solide Basis vergessen. Jetzt, wo wir im Inland ein funktionierendes Verkaufsnetz aufgebaut haben, möchten wir uns auf den ausländischen Markt wagen. Wir wollen unsere Vision auf verschiedene Weise darstellen und dabei eine zukunftsorientierte Haltung verkörpern", sagt Park.

After Pray ist in mehrfacher Hinsicht achtsam und klug. Doch ebenso wie viele andere moderne Modemarken versteht After Pray sich auch auf Improvisation und Kooperation. Die einzigartige Vision von zwei jungen Männern, die Kleidung mehr als alles andere mögen, hat ihr Label nach und nach durchdrungen.

afterpray.com
instagram @afterpray_official

DOCUMENT

Jongsoo Lee arbeitet seit 2001 in der Modebranche. Er war Designer für verschiedene Marken, wie für eine Konfektionsfirma, die gelegentlich als „Nationalmarke“ bezeichnet wird, träumte aber stets von einem eigenen Label. Document entsprang seinen persönlichen Archiven, die er über einen Zeitraum von über zehn Jahren zusammengestellt hatte. Seit er seine erste Kollektion (Frühjahr/Sommer 2015) vorstellte, pflegt er den Wechsel von „Differenz und Wiederholung“, inspiriert von dem Werk *Différence et Répétition* (1968) des französischen Philosophen Gilles Deleuze, das er als wichtigste Grundlage seiner Marke ansieht. Anstatt mit festen Konzepten für die jeweilige Saison arbeitet Document bei seinen Kollektionen mit sich überlagernden Wiederholungen. „Der Prozess des Ansammelns wiederholter Erfahrungen ist auf seine eigene, besondere Weise einzigartig und wird für den Einzelnen zu einem Schatz an Erinnerungen“, erklärt Lee. „Als ich um 2013 ernsthafte Vorbereitungen dafür traf, die Marke zu gründen, zog ich mich sechs Monate zurück, um mir Fotos und anderes Material anzuschauen. Rückblickend finde ich, dass ich mich sehr verändert habe. Natürlich stellte sich mir die Frage: ‚Was hat sich nicht verändert?‘ Als ich daraufhin meinen Schrank öffnete, sah ich nur Schattierungen von Weiß und Marineblau. ‚Genau das ist es‘, dachte ich. In meinem Schrank waren ausschließlich Wiederholungen, Unterschiede und Wiederholungen von Unterschieden.“ Für Lee sind Wiederholungen und Differenzen nichts anderes als eine Herangehensweise an das Leben an sich: „Der Alltag wiederholt sich ständig, doch es gibt immer wieder kleine Unterschiede, und trotz all der Wiederholungen sind die Menschen zwangsläufig unterschiedlich.“

In einem weißen Atelier im Gewerbegebiet von Seongsu-dong – dort, wo 2015 die erste Kollektion entstand und sich das Umfeld seither nach und nach gewandelt hat – leben das Veränderte und das Unveränderte Seite an Seite. Der „Document CX Store“, im Erdgeschoss des Gebäudes gegenüber dem Atelier, stellt die größte Veränderung dar. In dem kleinen weißen Geschäftsraum heißt eine Kollektion, die die Markenidentität kompromisslos widerspiegelt, die Kunden willkommen: Sorgfältig geschneiderte Jacken, lässige Mäntel aus dunkelblauem Wollstoff, Kamelhaarmäntel, Jeans aus steifem japanischen Hickory Denim, Jerseypiqué-Oberteile und Shirts, die zunächst aussehen, als hätten sie dieselbe Farbe, sich aber bei genauerer Betrachtung als raffiniert unterschiedlich entpuppen.

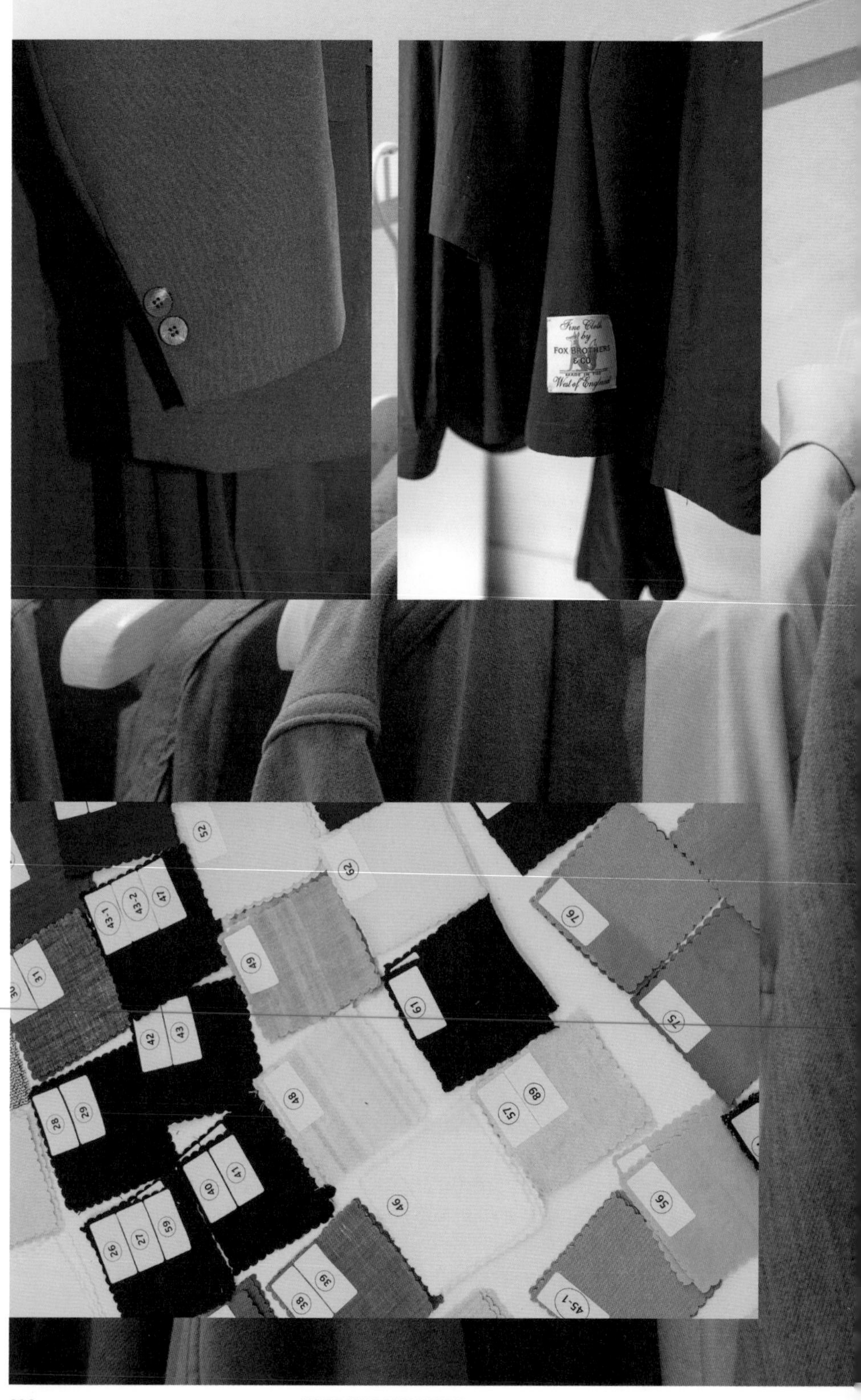
Fine Cloth
by
FOX BROTHERS
& CO.
West of England

Wie die Farben auf einer Palette, die sich hinsichtlich Sattheit und Transparenz nur graduell unterscheiden, weisen die Kleidungsstücke in Indigo- und Weißtönen nur bei genauerer Betrachtung subtile Unterschiede in Konstruktion und Material auf. Die Modelle von Document haben nicht die starke visuelle Anziehungskraft wie die von anderen jungen Modelabels, die in neuerer Zeit in den Straßen zu sehen sind. Stattdessen enthüllen sie ihre Vorzüge erst mit der Zeit. Man merkt im Laden immer wieder, dass die ausgestellten Stücke von den Kunden angefasst werden wollen.

Nachdem er seine 14. Kollektion vollendet hat, fragt Lee sich: „Wo stehe ich heute?" In den letzten acht Jahren ging es für ihn darum, Kleidung herzustellen, eine Marke aufzubauen und über Geschäftsführung und Nachhaltigkeit nachzudenken. Zwar war „Wachstum" stets ein Ziel, doch anfangs wollte man möglichst klein starten und das Erreichte erhalten. „Die Wirklichkeit war dann nicht so rosig wie erwartet. Ständig überlegte ich: ‚Sollte ich Document an einem gewissen Punkt beenden, sollte ich eine neue und sich besser verkaufende Marke lancieren?'" Stattdessen steuerte Document den internationalen Markt an. Heute ist das Label in renommierten Geschäften in den USA, in Frankreich, Italien und Deutschland, China, Thailand und Japan vertreten. Lee merkte, dass koreanische Mode irgendwie auf einer Welle ritt: „In den letzten Jahren gab es auf dem koreanischen Markt für Herrenmode den Trend, unabhängige kleine einheimische Labels zu unterstützen, die Leute stürzten sich nicht mehr in Scharen auf den Glamour ausländischer Fashion-Week-Kollektionen." Ebenso wie die kontinentale Hegemonie zwischen dem 18. und dem 21. Jahrhundert von Europa auf die USA überging, könnte das in näherer Zukunft für Asien gelten. „Wenn man sich Korea anschaut, das zwischen — dem in der Mode früher dominierenden — Japan und dem riesigen China eingeklemmt ist, könnte man die ‚Koreanische Welle' auch als Anzeichen eines stetigen Wachstums verstehen. Soll ich es als Pflichtbewusstsein bezeichnen? Ich will die Träume junger Leute beeinflussen, die heute Modedesign studieren. Sie sollen das, was ich getan habe, eines Tages auch tun können."

Subtile Veränderungen, die Mechanismen von Wiederholung und Unterschiedlichkeit zeichnen die Kollektion von Document aus. Die Kleidungsstücke wirken zunächst wie eine homogene Masse, doch je genauer man hinschaut, desto mehr Strukturen nimmt man wahr. Beim Anziehen offenbaren sich verborgene Details. Das Ansammeln kleiner Details bezeichnet Lee als „starke Annäherung". Dadurch erzielt man eine stärkere Wirkung, als wenn man ein vollkommen neues Objekt präsentiert. Auch etwas, das zunächst alltäglich aussieht, kann so eine enorme Resonanz hervorrufen. Dies sind Prinzipien, die Document wohl kaum verändern wird.

document-document.com
instagram @_document

Karte von Seoul

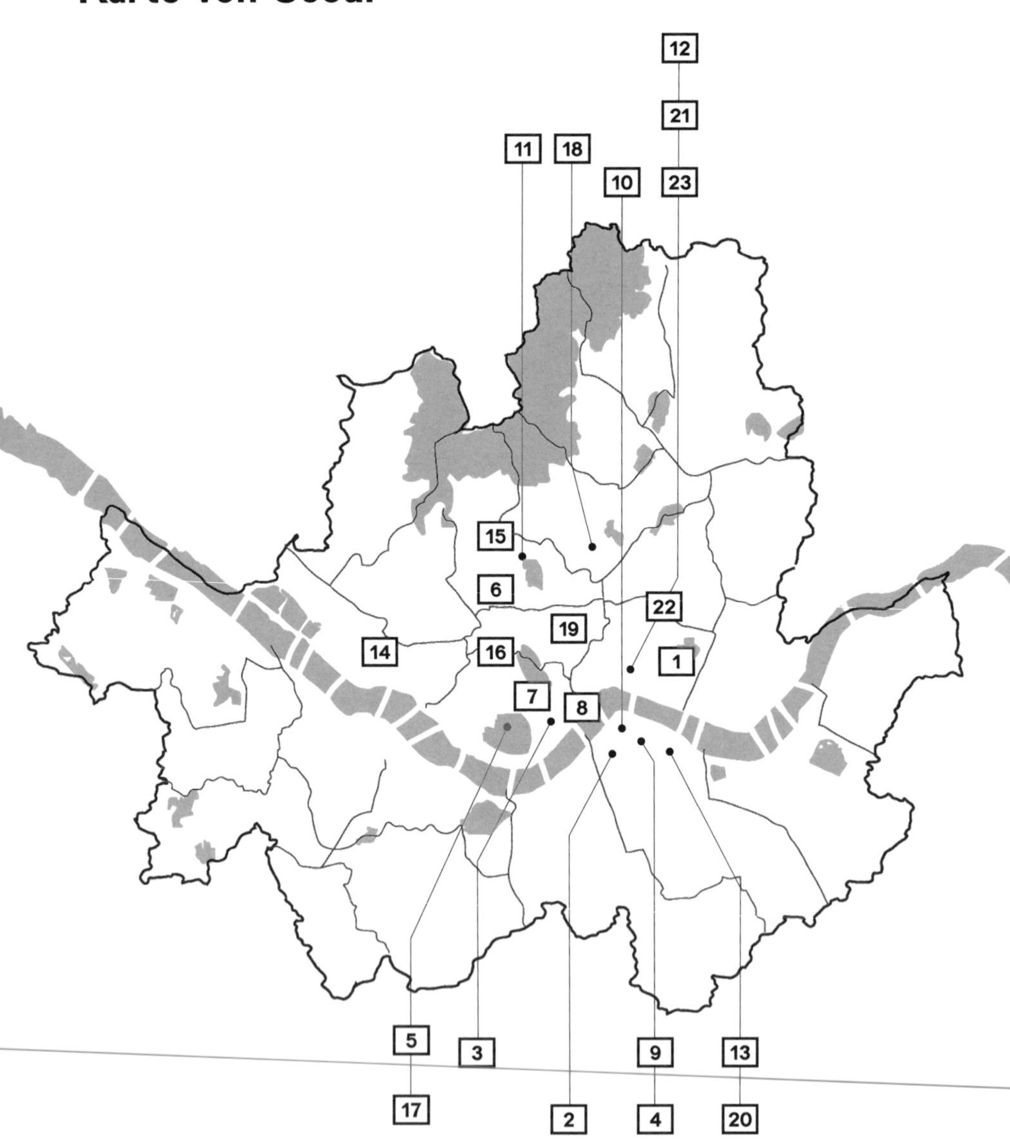

1	**Lia Kim** **25–29**	33, Ttukseom-ro 13-gil, Seongdong-gu 성동구 뚝섬로 13길 33 원밀리언 댄스 스튜디오
2	**Youngjin Kim** **30–34**	Eonju-ro, Gangnam-gu 강남구 신사동
3	**DPR REM** **35–40**	Itaewon-ro, Yongsan-gu 용산구 한남동

4	**Xu Meen** **73–76**	Apgujeong-ro, Gangnam-gu 강남구 압구정로
5	**Serian Heu** **77–81**	Hybe, 42 Hangang-daero, Yongsan-gu 하이브, 용산구 한강대로 42
6	**BAJOWOO** **82–84**	6F, 35, Myeongdong 4-gil, Jung-gu 중구 명동2가 53-9 6층
7	**IISE** **85–88**	3F, 210-7, Noksapyeong-daero, Yongsan-gu 용산구 녹사평대로 210-7 3층
8	**Nana Youngrong Kim** **121–25**	Jangmun-ro, Yongsan-gu 용산구 한남동
9	**Mischief** **126–30**	3F, 31, Apgujeong-ro 46-gil, Gangnam-gu 강남구 압구정로 46길 31 3층
10	**Kyuhee Baik** **131–36**	Stüssy Seoul Chapter, 42, Apgujeong-ro 46 gil, Gangnam-gu 강남구 압구정로46길 42
11	**Teo Yang** **169–73**	97-8, Gyedong-gil, Jongno-gu 종로구 계동길 97-8 태오양스튜디오
12	**Kwangho Lee** **174–78**	12-6, Seongsuil-ro 1-gil, Seongdong-gu 성동구 성수일로 1길 12-6
13	**Mingoo Kang** **179–84**	19, Dosan-daero 67-gil, Gangnam-gu 강남구 도산대로67길 19
14	**Hwang Soyoon** **217–21**	13, Wausan-ro 29-gil, Mapo-gu 마포구 와우산로 29길 13
15	**Doy** **222–26**	2F, 59, Jahamun-ro, Jongno-gu 종로구 자하문로59, 2층 INKEDWALL
16	**Lim Kim** **227–32**	Huam-dong, Yongsan-gu 용산구 후암동
17	**Danny Chung** **265–69**	Itaewon-dong, Yongsan-gu 용산구 이태원동
18	**Sukwoo Hong** **280–97**	6F, 165 Bomun-ro, Seongbuk-gu 성북구 보문로 165, 6층
19	**PAF, studio** **282–85**	71, Dongho-ro 10-gil, Jung-gu 중구 동호로10길 71(신당동), 4층
20	**The Museum Visitor** **286–89**	14, Dosan-daero 67-gil, Gangnam-gu 강남구 도산대로67길 14(청담동) 3층 301호
21	**House By, store** **286–89**	13, Gwangnaru-ro 4ga-gil, Seongdong-gu 성동구 광나루로4가길 13(성수동2가), 1층
22	**After Pray** **290–93**	19, Cheonho-daero 12-gil, Dongdaemun-gu 동대문구 천호대로12길 19(용두동), 401
23	**DOCUMENT, store** **294–97**	27, Seongsuil-ro 12-gil, Seongdong-gu 성동구 성수일로12길 27, B동 1층(성수동2가)

Bildnachweis

Foto-Essay: Make, break, remix
17 Dae Hui und Lee Daun
20 Kook Hwa
22–23 Sang U
24 Lee Dajun und Yoo Min

Foto-Essay: Wegbereiter
41 Lim Kim
42–43 Lia Kim
44 BAJOWOO
45 Hwang Soyoon
46 IISE
47 Kwangho Lee
48 Teo Yang
49 Youngjin Kim
50–51 Kwangho Lee
52 Xu Meen
53 IISE
54 Mischief
55 Nana Youngrong Kim
56 Lia Kim
57 Hwang Soyoon
58 Mingoo Kang
59 DPR REM
60 BAJOWOO mit Sumin Jo von PATiENTS
61 Xu Meen
62 Kyuhee Baik
63 Mischief
64 DPR REM
65 Youngjin Kim
66–67 Teo Yang
68 Serian Heu
69 Doy
70 Lim Kim
71 Kyuhee Baik
72 Mingoo Kang

74 Xu Meen, Cover von *Dazed* Korea, Juli 2020

Foto-Essay: Koreanische Coolness
89 Quick service
92–93 Park Gyeongjin
94 Lee Dayeon
95 Lee Gabeuriel
96 Woo Han
97 Young Min
98 Sun Yunmi
100 Lee Gabeuriel
102 Lee Juno
103 Park Sera
104–105 Semi
106–107 Park Sung Jin
108 Niyeon
109 Xu Meen
111 Jaehyeong
113 Sun Hyeyeong
114 Lee Hwan
116–117 Park Hyeonsu mit Freund
118 Chang Jinu
119 Jee Jyo
123 Nana Youngrong Kim, Hongdae Rollinghall Fan-Konzert, Oktober 2018
125 Nana Youngrong Kim, SAGAWAFUJII Kooperation

127 Mischief, hinter den Kulissen mit Our Friends bei dem F/W 2019 Release Event
129 OBEN Mischief, Fotoshooting für das Cover des Magazins *Visla* mit Künstlerfreunden aus verschiedenen Bereichen, 2017
129 UNTEN LINKS Selfie mit Mitarbeitern von Mischief bei der Eröffnung des ersten Flagship-stores, 2019
129 UNTEN RECHTS Der Videofilmer DQM, ein langjähriger Freund von Mischief, hinter den Kulissen bei ihrer Modenschau

Foto-Essay: Landschaften, Stadträume
148–149 Kwangho Lee
150 Serian Heu
154 IISE
155 Teo Yang
158 Chang Jinu
159 Nana Youngrong Kim
160–161 Chin Hui
165 DPR REM

172 Teo Yang, Thaddaeus Ropac Seoul
173 LINKS Teo Yang, EATH LIBRARY
173 RECHTS Teo Yang, A'LEMENT BY ANGEL-IN-US im Lotte Department Store, Dongtan

180 LINKS Die Küchenchefs Mingoo Kang und Shin Chang-ho besprechen Rezepte für Hyodo Chicken
180 RECHTS Junhyuks Farm (Foto: Mingles)
181 Mingles Restaurant (Foto: AREA+)
182 Das Gericht Black Chicken von Mingles (Foto: Choi Joon Ho)
183 LINKS Petit Four von Mingles (Foto: Mingles)
183 RECHTS Das Gericht Go-Ma-Wo Chicken von Hyodo Chicken

Foto-Essay: Vom Studio auf die Straße

185 Joan
186 Hwang Soyoon
187 Woo Han
188–189 Vitna, Doy, Zitten, Surfboy, Boss, Uzu
190 Gahyun Kwon
191 Jinyeok
194 IISE
195 Kyuhee Baik
196–197 Kyung Jin
198–199 Lee Seon
200–201 Xu Meen
204–205 BAJOWOO mit VOVO von NO BRAIN, Park Byung Sun von Spiky brats, Sumin Jo von PATiENTS, Sungwoo Lee von NO BRAIN
208–209 Park Hyeonsu mit Freunden
214 Lim Kim
215 Youngjin Kim

226 Vitna, Doy, Zitten, Surfboy, Boss, Mumi, Gonggreem, Uzu

Foto-Essay: Kreative Umgebungen

233 Nana Youngrong Kim
235 Mischief
236 DPR REM
237 Lia Kim
238 Stuhl von Kwangho Lee
239 Hwang Soyoon
240–241 Doy in seinem Studio
242 Kyuhee Baik
243 Xu Meen
244 Teo Yang
246–247 Kwangho Lee
248–249 IISEs Studio
250–251 BAJOWOO
252 Lim Kim
253 Mischiefs Studio (Detail)
254–255 Serian Heus Studio
256 Lim Kim
257 Youngjin Kim
258 Lia Kim, 1MILLION Studio
259 Doys Studio (Detail)
260–261 Hwang Soyoon
262 Mingoo Kang
263 Mingles Restaurant, Seoul
264 Xu Meen

Dank

Die Idee zu *K-Pop – K-Style* entstand 2018, als meine liebe Freundin Sarah Ichioka, Urbanistin, Autorin und Kuratorin, sich an den Cheflektor von Thames & Hudson, Lucas Dietrich, wandte, weil sie die Zeit für reif hielt, ein Buch über koreanische Kultur herauszubringen, und uns einander vorstellte. Obwohl ich große Lust auf dieses aufregende Projekt hatte, gab es doch auch Bedenken, mich auf bislang unvertraute Gebiete wie Musik und Mode zu wagen. Nachdem ich mehrere Monate lang über der Frage gegrübelt hatte, wie man ein interessantes Buch über die im schnellen Wandel begriffene koreanische Popkultur schreiben könnte, wurde ich Mutter und legte das Projekt beiseite. Lucas rettete es, indem er mich ein Jahr später kontaktierte und mich bat, unseren Dialog wieder aufzunehmen. Nachdem ich es sehr bedauert hatte, den spannenden Plan aufgeben zu müssen, machte ich mir selbst Mut und beschloss herauszufinden, was den K-Style so erfolgreich macht und wie er sich weiterentwickeln wird.

Ich fand, es wäre am besten, jene Trendsetter zu interviewen, die den K-Style gestalten. Doch schon die richtige Auswahl zu treffen nahm fast ein Jahr in Anspruch. Rich Lim, ein koreanisch-amerikanischer Markenexperte, half mir bei der Orientierung. Auch Teo Yang, ein früherer treuer Kunde, teilte sein Insiderwissen mit mir. Trotzdem war es nicht leicht, jene herauszufiltern, die wirklich angesehen und nicht nur kommerziell erfolgreich sind. Rich und Kyuhee Baik halfen mir, mich auf das Wichtigste zu konzentrieren. Kyuhee machte mich mit dem wunderbaren Fotografen Taekyun Kim bekannt, ein Kenner der Jugendkultur, der aus ungewöhnlichen Perspektiven genau die Fotos schoss, die den authentischen K-Style illustrieren. Serian Heu empfahl mir freundlicherweise mehrere Interviewpartner. Der Modejournalist Sukwoo Hong (alias Your Boyhood) erteilte mir wertvolle Ratschläge und bereicherte das Buch, indem er freundlicherweise das Kapitel über koreanische Mode übernahm. Es kamen zahlreiche Leute infrage, die internationale Anerkennung genießen, doch mir war es wichtig, solche auszuwählen, die von den Koreanern als lokale Größen angesehen werden. Jason Schlabach, der sowohl die koreanische als auch die internationale kreative Szene sehr gut kennt, half mir, die richtigen Pfade zu beschreiten, und empfahl mir die talentierte Designerin Hezin O, der es gelang, die Gestaltung des Buchs perfekt auf dessen Aussage abzustimmen.

Meinen 19 Interviewpartnern kann ich nicht genug danken, ebenso wie den drei Kommentatoren, die sich trotz ihrer unglaublich vollen Terminkalender die Zeit nahmen, mir von ihrem Leben und ihrem Arbeitsalltag zu erzählen.

Ihre Großzügigkeit und Kreativität machten dieses Buch erst möglich. Als ich mit dem Projekt begann, hatte ich nur zu vier Personen Kontakt. Doch ich konnte nach und nach die anderen auf meiner ambitionierten Liste kennenlernen, weil sie sich sofort für das Projekt begeisterten. Viele Interviews führte ich während des Lockdowns in London über Videotelefonate, und die Energie dieser Menschen half mir über die schwierige Zeit hinweg.

Ich danke Na Kim, der profunden Kennerin von Koreas kreativer Szene, die die Räume der Ausstellung „Hallyu!“ des Victoria & Albert Museum gestaltete, dafür, dass sie freundlicherweise das Vorwort schrieb. Marc Cansier, Mitgründer der Markenplanerfirma Marc & Chantal, und Sébastien Falletti, China- und Ostasienkorrespondent von *Le Figaro* (der fast zehn Jahre lang in Korea lebte), steuerten treffende Zitate über den K-Style bei. Ich danke Sébastien für die anregenden Gespräche während der Entstehung dieses Buchs. Choe Sang-hun, der langjährige Koreakorrespondent der *New York Times*, und Kim Ji-yeon, einer der beiden Producer der schillernden Netflix-Serie *Squid Game*, halfen mir großzügig mit Empfehlungen weiter.

Augusta Pownall von Thames & Hudson leitete mich bei meinen ersten Schritten als Buchautorin an und ermutigte mich in der Anfangsphase. Meine brillante Lektorin Kate Edwards war stets zur Stelle, sobald Probleme auftauchten. Augusta und Kate vermittelten mir, dass sie dieses Buch wirklich mochten, und das ist die beste Unterstützung, die man als Autorin von seinem Verlag bekommen kann. Gary Hayes, der Produktionscontroller bei Thames & Hudson, kümmerte sich um die Fahnen und Materialien.

Ich danke meinem Mann George, schärfster Kritiker dieses Buchs, der in den 14 Wochen, in denen ich mehrmals nach Korea flog, sich um unseren kleinen Sohn kümmerte; Jun, Sonnenschein meines Lebens, der einmal, wie ich hoffe, ebenso mutig und kreativ sein wird wie die in diesem Buch vorgestellten Menschen; und meinen Eltern, die stets an mich geglaubt haben.

Deutsche Ausgabe 2022
Edel Books
Ein Verlag der Edel Verlagsgruppe
Edel Germany GmbH, Neumühlen 17, 22763 Hamburg
www.edelbooks.com

Erstmals veröffentlicht auf Deutsch 2022
von Thames & Hudson Ltd, 181A High Holborn,
London WC1V 7QX, United Kingdom

Design: Hezin O

ISBN 978-3-8419-0819-3
Deutsche Übersetzung: Dr. Cornelia Panzacchi
Satz und Lektorat: Gisela Witt
Korrektorat: Ulla Thomsen
Druck und Bindung: Artron Offset, Shenzen